afgeschreven

De waargebeurde verhalen van 's werelds beruchtste

MOORDEN OP BEKENDE MENSEN

TIRION *TRUE CRIME*

Voorwoord

Nederland was diep geschokt door de moorden op Pim Fortuyn en Theo van Gogh. De impact van de gewelddadige dood van een bekend persoon is vaak immens. Mensen weten meestal ook nog precies hoe, waar en wanneer ze het nieuws hoorden van de aanslag op een beroemdheid. Bijkomend verschijnsel zijn – in gevallen dat een moordzaak niet wordt opgelost – de meest bizarre complottheorieën die daarna de kop opsteken.

Als misdaadverslaggever van De Telegraaf deed ik, samen met collega's, verslag van de moord op Pim Fortuyn. Ondanks het feit dat de dader al na luttele minuten kon worden opgepakt, belandden in de maanden daarna talloze epistels op de burelen van de krant met bespiegelingen over de 'werkelijke achtergronden' van de moord op de LPF-politicus.

Soortgelijke situaties deden zich voor na het ongeluk, dat het leven kostte aan lady Di. De geliefde Britse prinses stierf nadat haar chauffeur de auto niet meer in bedwang had tijdens een poging fotografen af te schudden. Daarna deden de meest doldwaze maar soms ook zeer aannemelijke theorieën de ronde.

Dit boek beschrijft de dood van zeven wereldberoemde mensen, die allen één ding gemeen hadden. Zij rustten zelf dan misschien in vrede, hun nabestaanden werden nog jaren geconfronteerd met vragen over de werkelijke doodsoorzaak. Bij roemruchte figuren als Napoleon Bonaparte en Edgar Allan Poe werd aanvankelijk aangenomen dat er sprake was van een natuurlijke dood. Pas later rees twijfel over de diagnose.

Het verhaal van Marylin Monroe laat zich vergelijken met dat van onze eigen Mathilde Willink. Ze pleegde zelfmoord, maar was het dat ook echt? Van John F. Kennedy en dr. Martin Luther King staat wel vast dat ze werden vermoord. Maar door wie en waarom? Ondanks veroordelingen zijn de speculaties over de werkelijke achtergronden nog steeds actueel. Nog onlangs beweerde een Cubaanse geheimagent dat Lee Harvey Oswald Kennedy vermoordde in opdracht van Cuba, daarmee Fidel Castro indirect als opdrachtgever aanmerkend.

De moorden op Marvin Gaye en John Lennon kunnen wel als opgelost worden beschouwd. Maar wat voor omstandigheden bewogen de dader tot het overhalen van de trekker? Dit boek zet alles op een rijtje over de moorden op beroemdheden. U bepaalt uiteindelijk natuurlijk zelf of wat u betreft er inderdaad sprake was van een natuurlijke dood óf dat politie en justitie gruwelijk mistastten. Veel leesplezier!

John van den Heuvel

1.

NAPOLEON BONAPARTE

Portret van Napoleon

Er is geen sprake van een mysterie. Natuurlijk stierf Napoleon. Op of voor 5 mei 1821 overleed Napoleon Bonaparte, keizer van Frankrijk. De vraag is: *'Hoe stierf hij?'* en *'Wanneer stierf hij?'*

Op de een of andere manier is het onvoorstelbaar dat een man die alleen is te vergelijken met Alexander de Grote en Julius Caesar, platvloers is gestorven aan maag-kanker op een godverlaten eiland in het zuidelijk deel van de Atlantische Oceaan. Hij had beter bij Waterloo in de strijd kunnen vallen, of vermoord kunnen worden door jaloerse rivalen, of zich in zijn eigen zwaard kunnen storten in plaats van zich over te geven aan zijn vijanden. Want om langzaam als gevangene weg te kwijnen in een vochtig en donker huis en te worden verlaagd tot het niveau van een vergeten banneling na anderhalf decennium feitelijk over Europa te hebben geheerst – dat lijkt ondenkbaar.

We hebben niet te maken met een onbeduidende his-torische figuur. Napoleon is een man die ons blijft boeien. Militair genie, dictator (soms welwillend), bestuurder, wetgever – hij was het allemaal. Hij werd geacht klein van gestalte te zijn geweest – 'de kleine korporaal' – maar was blijkbaar een van die zeldzame individuen die een kamer met zijn aanwezigheid kon vullen. (Volgens verschillende bronnen was hij 1,65 meter, maar ook wel 1,70 meter – niet opvallend kleiner dan de gemiddelde lengte van een man in die tijd.) Hij kon charmant, wreed, onredelijk, grootmoedig, begripsvol en bij tijd en wijlen incompetent zijn. Hij gaf de idealen van de Franse Revolutie een stevige basis en maakte toen enkele van de verkregen vrijheden ongedaan. Hij bevocht de Engelsen, maar bewonderde hen. Hij wilde een imperium vestigen in Europa en Amerika en gaf toen ruim 2 miljoen vierkante kilometer aan Thomas Jefferson weg voor tien cent per hectare. Schilderijen en standbeelden zijn er van hem in overvloed. Zulke mensen kunnen niet gewoon 'overlijden'.

Zoals veel onbegrijpelijke geschiedkundige voorvallen is de dood van Napoleon de Grote dus omgeven met complottheorieën. Stierf hij echt aan kanker? Werd hij mogelijk vergiftigd? Zo ja, door wie? Was het echt Napoleon die op die dag in 1821 op Sint-Helena overleed of was het een dubbelganger? En wat gebeurde er in dat geval met Napoleon?

De rolverdeling in dit drama is belangwekkend. Daar is de trouwe lijfknecht, wiens memoires over zijn meester pas in de jaren vijftig van de vorige eeuw werden gepubliceerd. Daar zijn de verschillende – en volgens sommigen onoprechte – loyale bedienden, van wie er vier bijzonder boeiend zijn. Artsen, die zelfs gemeten naar het lage medische niveau van die tijd soms onbekwaam leken, verschijnen en verdwijnen op verschillende momenten. Er is een vreemde, paranoïde en geobsedeerde gevangenisdirecteur die voortdurend bang is dat zijn beroemde gevangene, net als na zijn eerdere verbanning naar Elba, nog eens zal ontsnappen om Europa weer in vuur en vlam te zetten. Er zijn zelfs een of twee maîtresses om het verhaal kleur te geven. En meer dan een eeuw na het gebeuren zijn er een nieuwsgierige tandarts, een vasthoudende fabrikant van fitnessapparatuur en talloze geschiedkundigen met complottheorieën die het interessant maken.

Maar vooral is er de uitgebreide literatuur over

Napoleon, duizenden boeken die elk aspect van zijn leven en carrière behandelen, meer boeken dan er – met uitzondering van Jezus Christus – over enige andere historische figuur zijn geschreven. De zaak ligt duidelijk. Napoleon stierf een natuurlijke dood of hij werd vermoord. Napoleon was het lijk op de snijtafel in Longwood, zijn verblijf op Sint-Helena, of hij was het niet. Laten we beginnen.

De verbanning

Heel eenvoudig gesteld versloeg de hertog van Wellington in juni 1815 Napoleon Bonaparte tijdens de slag bij Waterloo. Daarmee eindigde de schitterende loopbaan van de keizer van Frankrijk, de gesel van Europa, het militaire genie dat Rusland, Groot-Brittannië, Pruisen en vrijwel de gehele rest van het continent als vijand had. Na zijn nederlaag werden de Bourbons weer op de Franse troon gezet en werd Napoleon voor een aantal keuzes gesteld.

De slag bij Waterloo was het hoogtepunt en de afsluiting van de beroemde Honderd Dagen, de periode tussen Napoleons ontsnapping uit ballingschap op Elba gevolgd door het weer opeisen van de Franse troon en zijn uiteindelijke nederlaag bij Waterloo. Na zijn nederlaag had Napoleon een beperkt aantal mogelijkheden. Hij dacht erover om net als zijn broer Joseph naar Amerika te vluchten. Hij overwoog zich over te geven aan de Britten en stelde zich voor dan zijn dagen te slijten als een Engelse landheer en gerespecteerde gast van zijn vroegere vijand.

Onverstandig genoeg koos hij voor het laatste. Hij zette nimmer voet op Engelse bodem, maar werd opgesloten op een schip voor de kust van Portsmouth en uiteindelijk als gevangene overgebracht naar het eiland Sint-Helena. Daar werd hij op het onherbergzaamste gedeelte van het eiland opgesloten op het landgoed Longwood House met als voornaamste bouwwerk een grote, herbouwde boerderij. Op Longwood en de omliggende landerijen bracht Napoleon de volgende vijf jaar van zijn leven door. Hij was 47 jaar oud toen hij in ballingschap ging.

Napoleon nam een gevolg mee naar Sint-Helena. Van de getrouwen die hem volgden, zijn zes van bijzonder belang. Drie van de zes waren gedurende de hele verbanningsperiode (1815-1821) bij hem. Dat waren zijn trouwe lijfknecht Louis Marchand, zijn grootmaarschalk Henri Bertrand en zijn belangrijkste raadsman graaf Charles de Montholon. Bertrand en De Montholon werden vergezeld door hun vrouwen. Portretten van Marchand, Bertrand en De Montholon tonen drie knappe mannen en een opvallend mooie Fanny Bertrand en Albine de Montholon. Zelfs als we rekening houden met de flatterende opvattingen van de negentiende-eeuwse portrettisten, heeft het drama met hen een aantrekkelijke groep acteurs. De resterende drie belangrijke dienaren zijn Napoleons manusje-van-alles Franceschi Cipriani, zijn literaire adviseur Emmanuel Las Cases en Gaspard Gourgaud, een artillerieofficier en algemene assistent. Een aantal artsen komt tijdens de verbanningsperiode voorbij. De belangwekkendste zijn (in volgorde van optreden) Barry O'Meara, Francesco Antommarchi, en Alexander Arnott. Deze rolbezetting is van belang, omdat we van hen het verslag van Napoleons ballingschap en overlijden hebben.

Vier van hen (Marchand, Bertrand, De Montholon en O'Meara) schreven gedetailleerde memoires. Van de anderen hebben we verschillende documenten, brieven, verslagen en korte commentaren. Als we ervan uitgaan dat Napoleon geen natuurlijke dood stierf, moeten we onder deze spelers op zoek gaan naar de moordenaar. Ten slotte hebben we de vreemde gouverneur van Sint-Helena, Napoleons cipier, Sir Hudson Lowe.

Gebeurtenissen met de dood als slot

Sinds de herfst van 1820 was Napoleons gezondheid niet goed geweest. Hij klaagde over erge buikpijn, had last van zwakheid en braken en maakte de indruk van een man die langzaam richting de dood ging. Hudson Lowe wilde niets van die klachten weten toen Napoleons artsen hem daarvan verslag deden; hij beschuldigde Napoleon ervan dat die bleef verkondigen slecht te worden behandeld door de Engelsen. Lowe had zelfs twee artsen ontslagen toen die beweerden dat Napoleon aan hepatitis leed en dat in verband brachten met de heersende dysenterie op Sint-Helena en de volgens sommigen ongezonde omstandigheden op het eiland van Napoleons verbanningsoord.

Eerder, in 1819, was Napoleons trouwe mede-Corsicaan, Cipriani, plotseling ziek geworden en gestorven, net als twee andere bedienden op Longwood. De omstandigheden waren raadselachtig en het snelle verloop zou op vergiftiging kunnen wijzen. Napoleon gaf aan dat te vermoeden en hij zag zichzelf ook als doelwit van de gifmenger.

Napoleon ging in de loop van 1821 verder achteruit en na een bijzonder pijnlijke maand overleed hij op 5 mei.

De lijkschouwing werd uitgevoerd door Antommarchi en vijf Engelse artsen met als conclusie dat de doodsoorzaak maagkanker was, dezelfde ziekte waaraan Napoleons vader in 1785 was overleden. Enkele waarnemingen stemden niet met elkaar overeen, met name als het gaat om de grootte en conditie van zijn lever. Eén Engelse arts kwam tot de diagnose van een leveraandoening verergerd door hepatitis, maar dat gedeelte werd door Lowe uit het autopsierapport geschrapt. De betrekkelijke haarloosheid van Napoleon en zijn zachte, vrouwelijke, nogal dikke lichaamsgesteldheid werden ook opgemerkt. Geen van de aanwezige artsen leek op te merken dat er geen sprake was van het algemene lichamelijke verval dat met kanker gepaard gaat.

De volgende dag werd Napoleon met alle militaire eer van het Engelse garnizoen begraven tussen een groepje bomen op korte afstand van Longwood. Hij werd in vier kisten gelegd die als baboesjka's in elkaar pasten: een mahoniehouten kist die het lichaam bevatte, daaromheen een anderen mahoniehouten kist, die twee werden in een loden kist geplaatst en daaromheen ging een andere loden kist. Zelfs in het graf, zou er geen ontsnapping mogelijk zijn. Er was geen grafsteen, omdat Napoleons huisgenoten geen genoegen namen met een eenvoudig 'Napoleon Bonaparte' en Lowe weigerde een grafsteen met het opschrift 'Keizer Napoleon'.

Negentien jaar later, in 1840, werd Napoleons graf geopend in aanwezigheid van verscheidene mannen die zijn ballingschap met hem hadden gedeeld. Het lichaam was opmerkelijk goed geconserveerd. De kisten werden weer verzegeld en Napoleons lichaam werd naar Parijs gebracht om ten slotte te worden bijgezet in het schitterende graf in de Dôme des Invalides, dat tegenwoordig een plek van verering en een toeristische attractie is.

Waaraan overleed Napoleon dan wel?

De redenen die voor het overlijden van Napoleon worden gegeven, variëren van fantastisch tot aannemelijk. Sommige instanties hebben aanvaard dat het maagkanker was. Nog pas in maart 2003 hebben kranten een artikel gepubliceerd over een studie die bevestigde dat kanker de doodsoorzaak was. Andere studies wijken daarvan af.

In veel opzichten is het medische dossier van geen enkele andere historische figuur zo minutieus onderzocht. Veel van de aandoeningen waaraan hij naar verluidt leed, houden weinig of geen verband met zijn doodsoorzaak, maar deze speculaties verduidelijken welke bizarre vorm de medische kant van de zaak heeft aangenomen. Er is geopperd dat Napoleon zo ernstig aan aambeien leed dat de slag bij Waterloo daardoor is beïnvloed. Naast schurft, de chronische huidziekte neurodermitis (wat zou verklaren waarom Napoleon graag lang in bad zat), driftaanvallen, huilbuien, migraines en dysurie (pijnlijke urinelozing) komt een artikel in een medisch tijdschrift van Ayer in 1966 met de mogelijkheid dat al deze symptomen het gevolg waren van de parasitaire aandoening schistosomiasis (opgelopen tijdens de Egyptische campagne in 1798). Om de speculaties af te ronden vermelden we dat er vaak is beweerd dat Napoleons hormonen een belangrijke rol speelden in zijn persoonlijkheid. Hiertoe behoren ook zinspelingen op hypothyreoïdie (overmatige schildklierwerking), Foehlichs syndroom (deficiëntie van de hypofyse), hypogonadisme, Klinefelter-syndroom (een extra X-chromosoom) en als bonus niet onderkende latente homoseksualiteit

Zelfs de veel onderzochte Adolf Hitler met zijn hemi-cryptorchisme (één niet ingedaalde testikel) heeft nooit kunnen tippen aan het encyclopedische medische dossier van Napoleon. En dan zijn er natuurlijk de vergiftigings-theorieën.

Bewijzen voor de moord

Drie uur 's nachts. Het was stil in Longwood House. De donkergeklede man hield zijn kaars boven een krat met flessen. Hij haalde er één uit, keek op het etiket – Vin d'Empereur – en veegde met zijn handschoen een dunne laag stof weg. Voorzichtig ontkurkte hij de fles. Uit zijn jaszak haalde hij een opgevouwen papiertje, vouwde dat open en liet een kleine hoeveelheid wit poeder langs de vouw in de fles glijden. Hij pakte de kurk weer, drukte die voorzichtig draaiend in de hals tot er nog slechts een fractie van een centimeter uitstak. Toen liep hij zacht door de gang naar de keuken waar hij de fles op een dienblad zette naast de kristallen karaf die uitsluitend door Napoleon Bonaparte mocht worden gebruikt. Hij blies de kaars uit en keerde stil terug naar zijn kamer. Tien dagen later, weer om drie uur 's nachts herhaalde hij dit.

Napoleons ballingschap op Sint-Helena werd vastge-legd in een aantal memoires van degenen die hem gedu-rende de periode van 1815 tot 1821 geheel of gedeelte-lijk gezelschap hielden. Van zijn pijnlijke laatste dagen werd bijna volledig verslag gedaan door zijn lijfknecht Marchand.

Maar – en dit wordt van belang voor ons verhaal – Marchands memoires werden pas in 1955 gepubliceerd. In dat jaar ontdekte een tandarts en amateurtoxicoloog maar, nog belangrijker, een groot verzamelaar van attributen van Napoleon het kort daarvoor gepubliceerde werk. Of het lezen van dit boek voor tandarts Sten Forshufvud een openbaring was of dat het voor hem een bevestiging was van een lang gekoesterde overtuiging dat Napoleon geen natuurlijk dood was gestorven, is niet duidelijk. Wel is duidelijk dat Forshufvud aan een onderzoek begon dat leidde tot het controversieelste en belangwekkendste aspect van Napoleons dood.

In de studeerkamer van zijn huis in het Zweedse Göteborg, waar portretten en bustes van zijn held op hem neerkeken, vergeleek Sten Forshufvud de symptomen van Napoleons laatste dagen systematisch met die van een arseenvergiftiging. Elke ellendige dag van Napoleons laatste maand was door Marchand beschreven en elk pijnlijk symptoom werd vergeleken. Forshufvud wist genoeg van vergiften om in te zien dat Napoleons doodsstrijd meer gemeen had met een langdurige vergiftiging met kleine hoeveelheden arsenicum dan met maagkanker. Bovendien was daar het opmerkelijke feit dat Napoleons lichaam negentien jaar na de eerste begrafenis verbazingwekkend goed was geconserveerd en dat overtuigde Forshufvud ervan dat het conserverende vermogen van arsenicum de ontbinding van het ongebalsemde lichaam had vertraagd.

Dus begon Forshufvud naar bewijzen te zoeken, een speurtocht van drie jaar die hem naar verschillende landen bracht. Het bewijs voor arseenvergiftiging kon volgens hem worden gevonden in Napoleons haar. Hij vond haren. In Napoleons tijd was het heel gangbaar dat beroemde personen haarlokken als aandenken aan goede vrienden gaven. Ook werd Napoleon na zijn dood geknipt en geschoren en deze haren van de grote man werden verdeeld onder zijn personeel. Met elke haar juist gedateerd en de herkomst ervan bevestigd zou Forshufvud het gewenste bewijs kunnen vinden.

Er waren twee problemen. Ten eerste moest worden bewezen dat de arseengehaltes in Napoleons haren hoger waren dan normaal. Omdat hij ervan uitging dat Napoleon het arsenicum in kleine hoeveelheden gedurende een betrekkelijk lange periode toegediend had gekregen – zodat het op een slepende ziekte leek – hoefde het gehalte niet buitensporig hoog te zijn. Ten tweede, als de haarlokken nauwkeurig gedateerd konden worden, dan moest het mogelijk zijn de arseengehaltes in verband te brengen met Napoleons symptomen die Marchand bijna dagelijks had opgetekend.

Gelukkig had Hamilton Smith van de universiteit van Glasgow kort voordien een nieuwe en nauwkeurige techniek voor het aantonen van zeer kleine hoeveelheden arsenicum ontwikkeld. Forshufvud haalde Smith over om hem te helpen. De eerste proeven wezen op een hoger dan normaal arseengehalte. Na een volgende zoektocht naar haren zetten Forshufvud en Smith hun onderzoek voort met als uitgangspunt dat haren anderhalve centimeter per maand groeien en dat het misschien mogelijk was delen van een haar te analyseren en de arseengehaltes te koppelen aan exacte data. Met Marchands memoires – eigenlijk een dagboek – was zo'n koppeling mogelijk. In de loop van een jaar werd dit allemaal gedaan.

Forshufvud twijfelde niet. Napoleon was vermoord doordat hij in de loop van verscheidene jaren kleine doses arsenicum had binnengekregen.

Nadat Smith en Forshufvud deze resultaten hadden gepubliceerd, raakte een Canadese zakenman en voorzitter van het Noord-Amerikaanse Napoleontische Genootschap, Ben Weider, erbij betrokken. Weider bouwde eerst met Forshufvud en daarna met David Hapgood de arsenicumgegevens uit tot een volledig afgeronde moordtheorie.

De moordtheorie

Als Napoleon werd vergiftigd, wie kon het dan gedaan hebben? Wat was het motief? Eén ding was duidelijk: wie de moordenaar ook was geweest, hij moest gedurende de hele gevangenschap van Napoleon op Sint-Helena zijn geweest. Dit sloot Las Cases (aan wie Napoleon zijn memoires dicteerde) uit, omdat hij Sint Helena in 1818 verliet. Het sloot ook zijn algemene assistent, de excentrieke Gourgard uit, die later datzelfde jaar vertrok. Omdat de artsen die Napoleon verzorgden, regelmatig kwamen en gingen, was de moordenaar waarschijnlijk niet een van hen geweest (hoewel we zullen zien dat twee van hen misschien zonder het te weten medeplichtig zijn geweest).

Volgens de analyse van Weider bleven er één of twee mogelijkheden over: ofwel Hudson Lowe was als vertegenwoordiger van de angst en afkeer van de Engelsen voor hun gevangene de uitvoerder van het complot, of iemand van Napoleons gevolg was er verantwoordelijk voor.

De eerste mogelijkheid is onwaarschijnlijk. Lowe die de last droeg Napoleons cipier te zijn, probeerde steeds weer elke indruk dat de Engelsen hun beroemde gevangene slecht behandelden, weg te nemen. Het laatste waaraan de Engelsen of de Europese mogendheden behoefte hadden, was Napoleon tot een martelaar te maken. Na 1816 hadden de keizerlijke Napoleon en de zwijgzame Lowe geen enkele ontmoeting. Het Britse garnizoen dat belast was met de bewaking van Napoleon, had zelden contact met hem en stelde zich slechts tweemaal daags op de hoogte van zijn aanwezigheid. Lowe had kunnen proberen om gebruik te maken van zijn artsen, maar de charmante Napoleon nam die allemaal voor zich in, waardoor Lowe hen niet kon vertrouwen.

Lowe is een belangwekkende figuur. Hij werd door Napoleons aanhangers uitgemaakt voor een rancuneuze, kleingeestige bureaucraat. Volgens de Engelse overheid was hij daarentegen een loyale commandant die een moeilijke taak uitvoerde; de buitenlandse mogendheden hadden hem immers de verantwoordelijkheid van het bewaken van de beroemde gevangene toevertrouwd. Hij was waarschijnlijk een beetje van allebei. Giles (2001) laat twee afbeeldingen van Lowe zien: de ene, een Engelse versie, toont een vriendelijke, bijna slappe Lowe; de andere is Frans en beeldt Lowe af als een stuurse marionet.

Het lijkt dus niet waarschijnlijk dat de Engelsen de gelegenheid hadden om Napoleon vergif toe te dienen en evenmin was het voor hen voordelig om Napoleon te doden, want daardoor zouden de ontevreden Europese massa's zich daarop richten. Dit bracht Weider tot de tweede en aannemelijker mogelijkheid. Iemand in Napoleons omgeving wilde hem dood.

Vier personen waren tot het laatst bij Napoleon. De trouwe lijfknecht Marchant die liefdevol voor zijn meester zorgde, was een onwaarschijnlijke kandidaat met nauwelijks een motief – een bescheiden erfenis uit Napoleons vermogen na het overlijden van de keizer. Dan waren er de Bertrands, de grootmaarschalk en zijn vrouw, die op anderhalve kilometer van Longwood woonden. Ook zij mochten een klein legaat tegemoet zien, zeker niet genoeg om voor te moorden, hoewel men zou kunnen aanvoeren dat hun lange verblijf op het godverlaten Sint-Helena hun trouw had ondermijnd.

Nee, dacht Weider, er was maar één mogelijke dader: graaf De Montholon. Er waren verscheidene redenen om De Montholon te verdenken. Om te beginnen was gravin De Montholon, die Sint-Helena eind 1819 met haar pas geboren dochter (Napoleana genoemd) had verlaten, mogelijk Napoleons maîtresse geweest tijdens haar verblijf op het eiland. Sommigen dachten dat Napoleon wel eens de vader van Napoleana kon zijn geweest. De gravin had – net als mevrouw Bertrand – tijdens het verblijf op Sint-Helena een boek gelezen over een moord door een langdurige vergiftiging met arsenicum. Kon De Montholon het idee van de moord van zijn vrouw hebben gekregen?

Ten tweede had De Montholon een erg twijfelachtig verleden. Niet alleen schonk hij zijn trouw (tussen 1809 en 1815) afwisselend aan de monarchie van de Bourbons en Napoleon, hij had ook een hechte band met de grootste Napoleonhater onder de Bourbons, de jongere broer van Lodewijk XVIII, de hertog van Artois en de latere Karel

X, koning van Frankrijk. De Montholon was ook beschuldigd van de diefstal van fondsen die bedoeld waren voor zijn eigen troepen, maar hij ontliep zijn straf. Hoe hij zich in Napoleons gevolg had gedrongen en hoe hij de verbannen keizer bleef inpalmen, is een raadsel. Hij lijkt succes te hebben gehad bij het manipuleren van Napoleon en nam uiteindelijk de plaats in van Bertrand als Napoleons grootste vertrouweling.

De Montholon was ook de voornaamste begunstigde van Napoleons aanzienlijke nalatenschap en hij hielp zijn meester bij het opstellen van diens testament. Hij had dus meer dan genoeg motieven: jaloezie, verlenen van een politieke gunst en geldelijk gewin.

Ten slotte had hij in zijn positie van hofmeester van Longwood als enige toegang tot Napoleons wijn, wijn die uitsluitend voor de keizer was bestemd. Omdat dit het enige was dat Napoleon binnenkreeg dat niet door iemand anders werd gegeten of gedronken, is het de waarschijnlijkste bron van de kleine hoeveelheid smaakloos arsenicum die gedurende een lange periode moest worden toegediend.

Maar stierf Napoleon daadwerkelijk aan het toegediende arsenicum? Het verhaal is iets ingewikkelder. Weider en de anderen kwamen tot de slotsom dat het arsenicum in combinatie met de laxeer- en braakmiddelen op basis van antimoon en kwik die Napoleon kreeg (de verkeerde maar toentertijd normale medische praktijk) plus de grote hoeveelheid van de zoete drank orgeat die Napoleon gebruikte om de dorst van het arsenicum te lessen, gezamenlijk zijn dood veroorzaakten. Naast arsenicum, antimoon en kwik is orgeat namelijk gemaakt van amandelwater dat blauwzuur bevat.

Graaf De Montholon was dus de moordenaar van Napoleon. Forshufvud en Weider waren er niet als enigen zeker van, hun argumenten hebben ook een aantal autoriteiten overtuigd. Maar niet iedereen.

Verklaring van het arsenicum

Een belangwekkende studie van David Jones van de universiteit van Newcastle maakte de theorie van de arseenvergiftiging twijfelachtig. Onderzoek van het behang van Longwood House onthult betrekkelijk veel arsenicum dat in vroeger tijd werd gebruikt voor een groene kleurstof, 'Scheeles groen'. In de vochtige omgeving van Sint-Helena zouden schimmels die op de klamme muren groeiden, de groene kleurstof kunnen afbreken met vrijkomen van arsenicum in gasvorm als gevolg. Blootstelling daaraan zou een aandoening kunnen veroorzaken die bekend staat als 'Gosio's ziekte' met symptomen van een chronische arseenvergiftiging. Dit zou de hoge arseengehaltes in Napoleons haar verklaren. Of deze theorie de wisselende arseengehaltes die Smith vond, zou kunnen verklaren, blijft de vraag, omdat men een constant gehalte zou verwachten. Daar staat tegenover dat die wisselende gehaltes mogelijk zouden kunnen samenhangen met vochtige en droge periodes tijdens de wisselende seizoenen. De theorie van het behang blijft interessant, maar biedt geen oplossing. Als het mogelijk was haren te verkrijgen van anderen die in die periode op Longwood woonden en als die haren ook een hoog arseengehalte zouden bevatten, werd de theorie geloofwaardiger.

Karlen en anderen hebben erop gewezen dat veel medicijnen uit die tijd kleine hoeveelheden arsenicum evenals kwik en antimoon bevatten. Zou dat de bron geweest kunnen zijn van het arsenicum in Napoleons haar? Verder kan de aanwezigheid van kwik en antimoon een analyse die gericht is op het aantonen van arsenicum storend beïnvloeden.

Er is twijfel over de relatieve hoeveelheid arsenicum. Als rekening wordt gehouden met het behang en de medicijnen op arseenbasis, is het dan mogelijk dat de arseengehaltes niet veel hoger waren dan normaal? Er is immers aangevoerd dat arsenicum op Sint-Helena wel eens meer voor zou kunnen komen dan eerder werd onderkend.

Ten slotte is er twijfel over de nauwkeurigheid van de datering van de haren die volgens zeggen van Napoleon zijn. Het is moeilijk te verklaren dat haarmonsters die zijn gedateerd op 1808 – ruim voor de verbanning – een hoger arseengehalte bevatten dan normaal. Ofwel Napoleon kreeg lang voordat iemand hem wilde vergiftigen arsenicum binnen, of de datering klopt niet.

Er lijkt een afkeer te zijn voor de theorie van de arseenmoord, bijna alsof het een ongepaste interpretatie van de geschiedenis is. Er zijn niettemin enige opmerkelijke zaken. Als er sprake was van een milieu dat de arseenvergiftiging veroorzaakte, waarom werd Napoleon er dan als enige ernstig door getroffen? Als er geen sprake was van een vergiftiging, wat was dan de oorzaak van de – plotselinge en pijnlijke – dood van Cipriani en de twee bedienden? Afgezien van Cipriani en de twee bedienden blijkt nergens uit dat andere leden van de huishouding symptomen van arseenvergiftiging vertoonden.

De meest logische conclusie, uitgaande van het

indirecte bewijsmateriaal en Napoleons symptomen, is dat arseenvergiftiging de doodsoorzaak was en dat De Montholon zeer waarschijnlijk de dader was.

Wie is bijgezet in Napoleons graftombe

Op het eerste oog is het idee dat Napoleon niet op 5 mei 1821 stierf en dat hij van Sint-Helena ontsnapte, even bizar als de theorie dat Hitler de oorlog overleefde en tot op hoge leeftijd in de bergen van Argentinië woonde. Het zijn de waanideeën van complotfanaten.

Maar misschien is zo'n theorie wel meer dan een waanidee. Er is vastgesteld dat Napoleon tijdens de jaren dat hij over Frankrijk heerste, dubbelgangers gebruikte. Zou in dit geval tot het uiterste gebruik zijn gemaakt van een dubbelganger?

Verscheidene auteurs met Thomas Wheeler (1974) voorop hebben aangevoerd dat in het begin van de ballingschap op Sint-Helena een van Napoleons dubbelgangers zijn plaats zou hebben ingenomen. Wheeler komt in zijn analyse tot de conclusie dat sergeant Pierre Robeaud (elders aangeduid als François Eugène Robeaud), bij wie het begin van maagkanker was vastgesteld, werd overgehaald Napoleons plaats in te nemen. Het was Robeaud die uiteindelijk overleed aan maagkanker en die is bijgezet in de Dôme des Invalides.

Er zijn net genoeg vreemde feiten om voedsel aan een dergelijke theorie te geven. De armlastige soldaat woonde bij zijn zuster in het Franse dorp Baleycourt en verdween in de loop van 1818. Volgens zeggen kreeg hij bezoek van Gourgaud die Sint-Helena dat jaar had verlaten, wat erop zou kunnen duiden dat Gourgaud de taak had gekregen voor de verwisseling te zorgen. Zijn zuster verhuisde naar Tours waar ze veel gerieflijker woonde. Op het kerkhofje van Baleycourt staat een bescheiden monument – het is niet duidelijk of er een graf onder ligt – met de vermelding: *'François Eugène Robeaud, geboren 1771, gestorven op Sint-Helena (onleesbare datum).'*

Wheeler merkt op dat de verschillende memoires een opvallende verandering in het gedrag van Napoleon na 1819 constateren. Hij was niet langer de arrogante keizer, niet meer actief en energiek. Wheeler verzamelde een serie toevalligheden en verwerkte die tot een aannemelijk scenario van tweehonderdtien pagina's. De roman van Ley en de film van Ian Holm (beschreven in het volgende hoofdstuk) gebruiken dit uitgangspunt – een dubbelganger die de plaats van Napoleon innam – als de basis voor hun onderhoudende artistieke producties.

Als klap op de vuurpijl beweert Wheeler dat Napoleon naar Verona was gevlucht waar hij onder een andere naam ('Revard') leefde en in 1823 werd gedood toen hij een muur buiten het kasteel Schönbrunn in Oostenrijk probeerde te beklimmen in de hoop zijn zoon te zien die daar zat opgesloten en volgens de berichten roodvonk had.

Om deze theorie met alle variaties voor waar aan te nemen, moet worden uitgegaan van een ingewikkeld complot. Een aanzienlijk aantal van de leden van de staf op Longwood zou erbij betrokken moeten zijn en erover hebben moeten zwijgen. De problemen om Napoleon van het eiland naar Italië te smokkelen en heimelijk zijn dubbelganger op Sint-Helena en in Longwood House te krijgen waren aanzienlijk. Het is moeilijk voorstelbaar dat deze ruil succesvol kon worden uitgevoerd.

Hoe romantisch en aantrekkelijk deze theorie ook is, al met al lijkt het een onwaarschijnlijke verklaring voor het lot van Napoleon.

Portret van de moordenaar

Nadat koning Louis-Philippe had toegegeven aan de druk van Napoleonisten die aandrongen op het overbrengen van de stoffelijke resten van hun held van Sint-Helena, werd in oktober 1840 een delegatie van Napoleons metgezellen in ballingschap uitgezonden om zijn lichaam naar Parijs te begeleiden. Allen die nog in leven en mobiel waren, namen de uitnodiging aan. Eén die dat niet kon, was Charles de Montholon.

Bertrand, inmiddels 67 jaar oud, maakte de reis mee. Zijn vrouw Fanny was in 1836 overleden. Las Cases, oud en blind, werd vertegenwoordigd door zijn zoon Emmanuel die als jongen met zijn vader op Longwood had gewoond. Geen van de artsen, ook niet O'Meara en Antommarchi die het langst op het eiland hadden gewoond, waren erbij, omdat ze allebei enkele jaren eerder waren overleden. De trouwe Louis Marchand, van middelbare leeftijd en welvarend, was er wel bij. De Montholon was er niet bij, omdat hij in de gevangenis zat.

Na Napoleons dood had De Montholon zijn carrière van politieke vertrouwensman voortgezet, een carrière die al was begonnen lang voordat hij zich bij Napoleon op Sint-Helena had gevoegd. Het erfdeel dat hem uit Napoleons testament toeviel, leverde 1,5 miljoen franc op.

Rond 1829 had hij het hele bedrag verbrast. Hij sloot zich weer aan bij Karel X van wie hij volgens Forshufvud en Weider de opdracht had gekregen Napoleon te vermoorden, maar het leverde hem niet veel op, omdat de slinkse Karel rond 1830 was afgezet.

In begin 1840, terwijl koning Louis-Phillipe tot een beslissing probeerde te komen of het lichaam van Napoleon naar Parijs zou worden overgebracht, waagde De Montholon samen met Louis Bonaparte (die Napoleon III zou worden) een invasie in Frankrijk vanuit zijn basis in Engeland. Het was een grandioze, slecht voorbereide onderneming waarmee De Montholon, zoals met veel dingen in zijn leven, geen succes boekte. Hij werd gevangengenomen door Fransen die trouw waren aan koning Louis-Phillipe en veroordeeld tot twintig jaar opsluiting, een straf die hij net begon uit te zitten ten tijde van de reünie op Sint-Helena in oktober.

In 1850 werd Louis Bonaparte, de zoon van Napoleons broer, Napoleon III. (Napoleon II was natuurlijk de zoon van de beroemde Napoleon, maar hij was in 1832 op de leeftijd van 21 jaar overleden.) Ondanks de wisselende betrekkingen van De Montholon met de familie Bonaparte was er voor De Montholon geen plaats in de regering van Napoleon III. Na zes jaar van zijn straf van twintig jaar te hebben uitgezeten stierf De Montholon in 1853 in vergetelheid.

Als Napoleon werd vermoord en als De Montholon de dader was, dan vertelde hij dat nooit. Zijn memoires zijn egocentrisch en onthullen niets dat hem zou kunnen belasten. Uit de herinneringen van zijn vrouw is op te maken dat zij niets wist van de stiekeme bezigheden van haar echtgenoot. Geen enkele andere schrijver van

memoires uit die tijd noemt De Montholon als een mogelijke moordenaar. Als De Montholon iets heeft nagelaten,
dan is dat in het beste geval de indruk van een schurk en
opportunist of in het slechtste geval die van de moordenaar van de belangrijkste figuur uit de negentiende eeuw
of, in de ogen van sommigen, de belangrijkste figuur uit
de Europese geschiedenis.

De Montholon mag dan zijn vergeten door iedereen
behalve degene die wordt geboeid door de omstandigheden van Napoleons dood, dat geldt zeker niet voor
keizer Napoleon I. Bijna niemand zal voor eeuwig zo
fascinerend voor ons blijven op het vlak van de geschiedenis en de politieke wetenschappen. Er zal geen jaar
– feitelijk geen maand – voorbijgaan zonder een nieuwe
visie op Napoleons leven, carrière, invloed en plaats in de
geschiedenis.

Alleen een genie als Shakespeare zou de woorden
kunnen vinden om Napoleon recht te doen. Shakespeare
laat Cassius een beschrijving geven van Julius Caesar. De
woorden zouden op Napoleon van toepassing kunnen
zijn. *Ja, vriend, hij stapt over de smalle wereld als een
Kolossus, en wij onbeduidend volk lopen onder zijn reuzen-
benen, en turen rond om voor onszelf een eerloos graf te
vinden.* – Julius Caesar, 1e bedrijf, 2e toneel

Literatuur over Napoleon

Er bestaat een schatting dat er (in alle talen) 500.000
boeken over Napoleon zijn gepubliceerd. Als we enige
overdrijving incalculeren en de helft daarvan als redelijk
beschouwen, dan hebben we het nog steeds over een

kwart miljoen werken. Als je erover nadenkt, is het bijna onvoorstelbaar. Neem me niet kwalijk, maar ik moet nog een paar belachelijke cijfers geven.

Gaan we uit van de redelijke schatting, dan komt dit neer op het jaarlijks verschijnen van 1.400 boeken sinds de dood van Napoleon in 1821. Dit houdt weer in dat er per dag gemiddeld vier boeken ergens op de wereld worden gepubliceerd – dag na dag.

Je krijgt het er warm van. Nemen we aan dat ongeveer een tiende deel van die kwart miljoen boeken de periode van Napoleons ballingschap tot onderwerp heeft, dan zou de grondige onderzoeker voor dit artikel 25.000 boeken kunnen doornemen. Stel dat een vijfde deel van die boeken in het Engels is, dan zou dat voor mij neerkomen op 5000 boeken.

Na een leven van boeken lezen en verzamelen heb ik een bibliotheek met ruim 5.000 boeken. Met andere woorden, als ik me uitsluitend had toegelegd op het verzamelen van boeken die verband houden met mijn onderzoek naar de dood van Napoleon, dan zou ik na vijftig jaar boeken verzamelen een bibliotheek hebben met alleen maar titels over Napoleon.

Nog schrikbarender is het, dat ik bij een leessnelheid van drie boeken per week 1.666 weken ofwel 32 jaar nodig zou hebben om al het materiaal door te werken. Gelukkig kan men zich voornamelijk beperken tot zo'n vijfentwintig belangrijke bronnen als het om de dood van Napoleon gaat. Hiertoe behoren 'de vier evangeliën' die zijn geschreven door Napoleons naaste medewerkers tijdens zijn ballingschap op Sint-Helena: Bertrand, De Montholon, Las Cases en Gourgaud, en de memoires van zijn twee voornaamste bedienden: Marchand en Ali.

Hier komen dan nog de memoires bij van twee van zijn artsen en de herinneringen van een jong meisje dat in het eerste jaar van zijn gevangenschap bevriend raakte met Napoleon. Alle andere boeken over de dood van Napoleon zijn ontleend aan deze werken.

De belangrijkste moderne boeken die de informatie uit deze memoires hebben gebruikt, gaan over de mogelijkheid dat Napoleon is vergiftigd. De belangrijkste daaronder zijn de boeken van Forshufvud (1961, 1995) en van Weider (1982, 1995). Enkele andere behandelen de theorie dat Napoleon niet op 5 mei 1821 stierf (Wheeler) en daarnaast zijn er beeldende verhalen over de jaren van ballingschap op Sint-Helena van met name Kauffmann (1999) en Giles (2001).

Natuurlijk moet men minstens één volledige biografie van Napoleon lezen. Twee recente van Schom (1997) en McLynn (1997) zijn erg goed en behandelen een enorm gecompliceerd leven en een dito carrière in een enkel (hoewel lijvig) werk. Belangwekkend is dat Schom tot de stellige conclusie komt dat Napoleon een natuurlijke dood is gestoven en dat McLynn met even grote stelligheid beweert dat hij werd vergiftigd. En aan beide zeer goed geschreven biografieën ligt een gedegen onderzoek ten grondslag.

Er is een aantal films over Napoleon geweest. Een oude film die af en toe op de verschillende filmkanalen wordt vertoond, is 'Desiree', waarin Marlon Brando op een belachelijke manier de rol van de keizer vervult. Van veel recentere datum is de vier uur durende biografische film over Napoleon van Arts and Entertainment die redelijk nauwkeurig is, maar wel nogal langdradig en pretentieus. In een tweede film die is gebaseerd op de roman van Leys en de titel draagt 'The Emperor's New Clothes', speelt de prachtige acteur Ian Holm de rol van Napoleon; de film behandelt op een zeer fantasierijke manier de theorie van de 'verwisseling'.

Zoals verwacht mocht worden, zijn er talloze romans over Napoleon. De meeste zijn niet echt bijzonder, maar enkele, zoals *Oorlog en Vrede* van Tolstoy, zijn tot de klassieke werken gaan behoren. Een novelle van recente datum die de moeite van het lezen zeker waard is en waarop de film met Ian Holm zijdelings was gebaseerd, is *De Dood van Napoleon* van Simon Leys.

Voor wie Napoleon waardeert als inspiratiebron voor klassieke composities, zijn de twee bekendste: Beethovens 'Overwinning van Wellington' en Tsjaikovsky's 'Ouverture 1812'.

Er zijn talloze portretten en bustes van Napoleon. Of ze het wezen van de man vastleggen, is de vraag, maar veel ervan zijn zeker boeiend. Voor het penseel van de schilder was Napoleon beslist het equivalent van 'fotogeniek'.

2.

MARVIN GAYE

Het podium

In abstracte zin lezen de details van Marvin Gaye's dood als een bijbelse parabel. Man scheldt vrouw uit. Zoon verdedigt moeder en scheldt vader uit. Vader scheldt zoon uit. Zoon slaat vader. Vader doodt zoon.

Maar de duivel zit in de details verscholen. De doodslag die afgelopen lente twintig jaar geleden plaatsvond, was de climax van een al lang etterende, pathologische relatie tussen de gestoorde, door drugs verwarde soulzanger en zijn excentrieke vader.

Hun verhouding werd gekenmerkt door geweld, rivaliteit, vernedering, rancune en haat. Ze hadden het grootste deel van hun leven geruzied en gevochten, misschien omdat ze te veel op elkaar leken om ooit met elkaar overweg te kunnen.

Er was een diepgaand conflict. Marvin sr. was een fundamentalistische predikant die uitzichtloos wereloos was en tierde tegen zondige mateloosheid. Toch was hij zelf een groot liefhebber van wodka en een geestdriftige travestiet.

Net als zijn vader was Marvin jr. een vat vol tegenstrijdigheden dat was gevuld met gelijke delen overmoed en zelfhaat, grenzeloze egomanie en ondermijnende onzekerheden. Hij gebruikte enorme hoeveelheden cocaïne en leefde daardoor voortdurend in schuld, ook al verdiende hij miljoenen.

'Hoeveel ik in de loop der jaren aan snuif heb uitgegeven?' vroeg Gaye zich een paar jaar voor zijn dood peinzend af. 'Ik wil het niet weten... Genoeg om te boek te staan als een stomkop. Je zou me een drugsverslaafde en een seksfreak moeten noemen.'

Inderdaad was seks een andere bijzondere tegenstrijdigheid. Hij werd aangeprezen als de grote minnaar van Motown, maar was een vrouwenhater die de vrouwen sloeg van wie hij beweerde te houden – iets dat hij had geërfd van zijn vader. Hij zong ballads en duetten over gevoelige romantiek en dwong zijn minnaressen tot vernederende en perverse handelingen waarmee hij zijn sadisme en voyeurisme bevredigde. *'De duistere kant van het leven en de duistere kant van de geest fascineerden hem echt,'* vertelde Janice Hunter, de tweede vrouw van Gaye tegen biograaf Steve Turner. *'Er waren dingen waar ik niet eens over kan praten die zo diep gingen, die zo duister en bizar waren... Verboden, gevaarlijke, angstwekkende, geschifte gedachten en gedragingen.'*

Gaye belemmerde Hunter in het volgen van haar droom zangeres te worden. *'Ik ben de laatste van de grote mannelijke chauvinisten,'* zei hij tegen David Ritz, een andere biograaf. *'Ik heb graag dat vrouwen mij dienen – punt uit. In het geval van Jan betekende mij dienen, voedsel geven aan mijn fantasieën – mijn slechte fantasieën.'*

Gaye was een chronische masturbeerder en een liefhebber van pornografie. Hij had last van vliegangst, plankenkoorts, impotentie en andere seksuele stoornissen, paranoia, onredelijke jaloezie en homohaat. Hij was afgunstig op mannen die in lagere registers zongen dan hij, omdat hij bang was dat zijn stem in vergelijking met hen vrouwelijk zou overkomen. Tijdens zijn jeugd plaagden kinderen hem met zijn 'verwijfde' vader, Marvin Pentz Gay sr. Als tiener zette Marvin jr. een 'e' achter zijn artiestennaam.

Op aandringen van zijn vader besteedde Marvin jr.

het eerste derde deel van zijn leven aan het onderdruk-ken van elke neiging om zich over te geven aan wereldse ondeugden. Eenmaal bevrijd van zijn vader gaf hij zich in het laatste tweederde gedeelte van zijn leven over aan elke ondeug die hem inviel.

Inderdaad schoot Marvin sr. op 1 april 1984 Marvin jr. dood. Maar hun verhaal is veel meer dan een 'geschil in de huiselijke sfeer' zoals politiemannen van de oude school het misschien noemen.

Verwrongen wortels

Marvin Gay sr. werd in 1914 geboren als derde van dertien kinderen uit een arm boerengezin in Jessamine County ten zuiden van Lexington in Kentucky. Het was een lomp huishouden waarin vader George Gay regelmatig zijn vrouw Mamie sloeg. *'We waren allemaal bang voor hem,'* vertelde Howard Gay, de broer van Marvin sr. tegen Travis Hunter, schrijver van *Trouble Man*. *'Als je vijf of zes jaar oud bent, weet je niet wat je moet doen als je moeder wordt geslagen en er geschreeuwd en gescholden wordt.'*

Toen het boerenbestaan te weinig opleverde, verhuisde George Gay in 1919 met zijn kroost naar Lexington. Een paar jaar later begon Mamie Gay naar een onopvallend kerkgebouw in de stad te gaan waar een religieuze sekte bijeenkwam met een grappige lange naam: The House of God, The Holy Church of The Living God, The Pillar And The Ground of The Truth, The House of Prayer for All People (het Huis van God, de Heilige Kerk van de levende God, de steunpilaar en het fundament van de Waarheid, het gebedshuis voor alle mensen).

Toen Mamie Gay het geloof aannam, volgde haar zoon Marvin haar en werd het enthousiaste sektelid van het gezin. Velen denken dat de problemen van Marvin jr. psychologisch wortelen in zowel het geweld in het gezin als in dit vreemde geloof.

Het Huis van God, gesticht door R.A.R. Johnson, was een mengeling van elementen uit het orthodox jodendom en de pinksterbeweging. Aanhangers houden vast aan de sabbat op zaterdag en gehoorzamen het verbod op varkensvlees en schelpdieren uit het Oude Testament. Kerstmis kennen ze niet, maar ze hamsteren matzes voor het joods paasfeest. De sekteleider, de 'Hoofdapostel', draagt een mijter met de Davidsster. Vrouwen wonen de diensten bij in geheel witte kleding. Tijdens de diensten herhalen de gelovigen de zin *'Dank u, Jezus'* als een mantra tot de Heilige Geest hen bezoekt en hen in tongen laat spreken.

In 1934 verhuisde Marvin sr. naar Washington DC als een Huis-van-Godpredikant. Daar ontmoette hij Alberta Cooper. Zij was geboren in de buurt van Rocky Mount, North Carolina, en naar het noorden gestuurd om een schandaal te vermijden toen bleek dat ze zwanger was.

Marvin Gay trouwde in juli 1935 met Alberta, maar hij weigerde haar liefdesbaby op te voeden en het kind werd overgedragen aan een zus.

Marvin en Alberta kregen vier kinderen: Jeanne in 1937, Marvin jr. op 2 april 1939, Frankie in 1942 en Zeola, die Sweetsie werd genoemd, in 1945.

Marvin sr. gaf leiding aan een congregatie, hoewel het aantal gelovigen zo klein was, dat een predikant niet kon worden onderhouden. Het gezin Gay woonde in een gesubsidieerde woning en leefde van wat Alberta als dienstmeid verdiende.

In 1950 stelde Marvin sr. zich kandidaat voor het Hoofdapostolaat. Toen de functie naar een ander ging, stapte Gay uit de kerk.

Hij werkte af en toe parttime als postbeambte voor Western Union in Washington, maar hij had nooit een andere fulltime baan. Jeanne Gay schatte dat haar vader alles bij elkaar drie jaar werkte, nadat hij de kerk de rug toe had gekeerd.

Nachtmerrie als jeugd

Zijn eindeloze hoeveelheid vrije tijd gaf Marvin Gay sr. de gelegenheid zich op zijn kinderen te richten. Hoewel het Huis van God tot het verleden behoorde, legde hij zijn gezin wel veel van de beperkingen op. Hij verbood sporten, dansen, films, televisie en popmuziek. Zijn dochters mochten geen mouwloze jurken, nylons of open schoenen dragen en geen lippenstift of nagellak gebruiken. Hij dwong zijn kinderen zich te houden aan een lange sabbat van vrijdagmiddag tot halverwege de zondag. Ze moesten Bijbelteksten leren en hij deelde klappen uit bij verkeerde antwoorden. Alle vier de kinderen plasten in bed en daar kregen ze ook weer slaag voor.

'Bij vader zijn was zoiets als bij een koning zijn, een zeer eigenaardige, wispelturige, wrede en almachtige koning,' vertelde Marvin Gaye aan biograaf Ritz. 'Je moest op je tenen zijn stemmingen omzeilen. Je moest alles doen om bij hem in de gunst te komen. Ik deed dat nooit. Ook al was zijn liefde krijgen het allerhoogste doel in mijn jeugd, ik trotseerde hem toch. Ik haatte zijn manier van doen... Als

moeder er niet was geweest die me steeds weer troostte en zei dat ik zo goed zong, denk ik dat ik een van die kinderen was geworden waarvan je in de krant leest dat ze zelfmoord hebben gepleegd.'

Marvin jr. kreeg het van allen het zwaarst te verduren. Zijn vader kon over de onbenulligste dingen vallen – als hij zijn haarborstel gebruikte of een kwartier te laat uit school kwam.

Alberta Gay zei: *'Mijn man heeft Marvin nooit gewild, hij mocht hem niet. Hij zei vaak dat Marvin volgens hem zijn kind niet was. Ik zei dan dat het onzin was. Hij wist dat Marvin van hem was. Maar om de een of andere reden hield hij niet van Marvin en nog erger was dat hij ook niet wilde dat ik van Marvin hield. Marvin was nog vrij jong toen hij dat doorhad.'*

Jeanne Gay zei: *'Van zijn zevende tot de tijd dat hij tiener werd, bestond Marvins leven thuis uit een reeks beestachtige aframmelingen.'*

'Het was niet alleen dat mijn vader me sloeg, hoewel dat erg genoeg was,' zei Gaye. *'Hij zei altijd: "Jongen, jij gaat een pak slaag krijgen." Dan moest ik van hem mijn kleren uittrekken en naar mijn slaapkamer gaan... Het zou niet zo erg zijn geweest als hij me meteen een klap had gegeven. Maar vader hield van dat soort spelletjes. Hij speelde met me. Hij liet me een uur wachten of nog langer en de hele tijd rinkelde de gesp van zijn broek luid genoeg om te horen... als hij me dan eindelijk sloeg, wist ik – kinderen weten dat soort dingen – dat iets in zijn binnenste ervan genoot.'*

Marvin sr. was het tegendeel van het stereotype van een handtastelijke macho. Hij was goed verzorgd en vrouwelijk en hulde zich vaak in vrouwenblouses en pruiken. Zoals Marvin jr. tegen Ritz vertelde: *'Mijn vader draagt graag vrouwenkleren... om je de waarheid te vertellen, ik heb dezelfde fascinatie met vrouwenkleren. In mijn geval heeft dat niets te maken met het aantrekkelijk vinden van mannen. Ik koester geen seksuele belangstelling voor mannen. Maar mezelf als vrouw zien is iets dat me intrigeert. Het is ook iets waar ik bang voor ben. Ik doe het alleen maar op heel heimelijke en intieme momenten. Later worstel ik wekenlang met schuld en schaamte.'*

De schrijver vroeg Alberta of haar man homoseksueel was. *'Ik weet het niet zeker,'* zei ze. *'Ik weet wel dat vijf van zijn broers en zussen homoseksueel waren. En hij hield natuurlijk van zachte kleren... Hij droeg graag mijn slipjes, mijn schoenen, mijn jurken, zelfs mijn panty's.'*

Muziek en leger

Voor zijn tienerjaren begon Marvin jr. zijn vader te ontvluchten door aan de piano te gaan zitten die in de woonkamer stond. (Marvin sr. had zichzelf redelijk piano leren spelen.) Zijn vader moedigde Marvin aan zolang hij zich maar bij religieuze muziek hield.

Marvin jr. bleek een natuurtalent te zijn. Hij zou nooit noten leren lezen, maar hij kon alles op het gehoor spelen, ook blues en populaire ballads als zijn vader niet thuis was.

Op de Cardozo High School ontmoette Marvin jr. een groep muzikaal getalenteerde tieners en zijn vormden een combo, de D.C. Tones. Marvin speelde piano en drums; niemand wist dat hij kon zingen. De jongens namen vaak de bus naar het Howard Theater om op goedkope plaatsen te kijken en luisteren naar rhythm-and-bluesartiesten als James Brown, Jackie Wilson, Sam Cooke en Little Willie John. Heimelijk hield Marvin meer van de stijl van de blanke Dean Martin, Perry Como en Frank Sinatra. Zijn kameraden kwamen erachter dat hij kon zingen toen ze hem op een dag precies Johnnie Ray's 'Cry' hoorden nadoen. Zijn groeiende belangstelling voor wereldse muziek leidde thuis tot nieuwe conflicten en toen hij achttien was, had de zoon er genoeg van. Hij ging van school af en tekende voor de luchtmacht. Maar hij kwam er al gauw achter dat dienst nemen in het leger om te ontkomen aan een brute en autoritaire figuur geen oplossing was, vooral niet toen hij piepers moest jassen en niet zoals gehoopt in straaljagers mocht vliegen.

Zoals hij het verwoordde: *'Ik was er totaal niet op voorbereid en kon onmogelijk bevelen aannemen van opgeblazen hufters die niets beters hadden te doen dan mij vernederen.'*

Hij zat net lang genoeg bij de luchtmacht om bij een hoertje zijn maagdelijkheid te verliezen. Hij veinsde een geesteszieke en werd ontslagen met deze opmerking: *'Marvin Gaye kan zich niet aanpassen aan discipline en autoriteit.'*

Marquees en Moonglows

Doo-wop was een rage toen Marvin terugkeerde naar Washington en de D.C. Tones, inmiddels omgevormd tot de Marquees, een close harmony zanggroep met Marvin Gaye (met langere achternaam) als eerste tenor. De groep trad op voor tieners, bij 'sock hops' (in gymzalen moesten de schoenen uit) en bij jamsessions. Bij een optreden werden ze opgemerkt door Bo Diddley, een musicus uit Washington die nationale bekendheid begon te krijgen met zijn unieke slagsound op de gitaar.

Diddley was onder de indruk van de zoetgevooisde Marquees en bood aan hun eerste plaat te produceren, een tweezijdige single met 'Hey Little School Girl' en 'Wyatt Earp' die werd opgenomen in New York met Diddley's ondersteuningsband.

In 1958 deed Diddley een optreden met de Moonglows, een groep van Chess Records uit Chicago die een stel R&B hits had gescoord, waaronder 'Sincerely'. Harvey Fuqua, de leider, vertelde dat hij audities hield voor een nieuwe eerste tenor. Diddley wees Fuqua op Gaye. Fuqua luisterde naar de Marquees bij zijn volgende tournee door Washington en nam Gaye en zijn bandleden meteen aan om de Moonglows te vervangen.

Gaye verhuisde van Washington naar Chicago waar hij op Chess Records backings zong voor Etta James en Chuck Berry wanneer hij niet met de Moonglows op tournee was. Hij zong de melodie op een kleinere hit van de Moonglows: 'Mama Loochie'.

Intussen was de scherpzinnige zakenman Fuqua in Detroit op een sound gestoten die snel populair begon te worden en volgens hem doo-wop wel eens kon verdringen. Fuqua kende daar de belangrijkste mensen, de familie Gordy, waarvan de ouders rijk waren geworden met nachtclubs en onroerend goed.

In 1960 nam Fuqua Marvin Gaye, zijn muzikale wonderkind mee naar Detroit voor een ontmoeting met de Gordy's en hun ambitieuze kinderen.

Hitsville, USA

Berry Gordy jr. had nooit de middelbare school afgemaakt en was een aantal keren opnieuw begonnen. Hij was een veteraan uit de Koreaanse oorlog, voormalig prijsvechter, ex-automonteur, eigenaar van een platenzaak en succesvol liedjesschrijver.

Gordy had een gave om rock-'n-roll, gospel en rhythm and blues samen te smelten tot goed in het gehoor liggende wijsjes – zwarte dansmuziek die blanke kinderen zouden kopen, zoals zijn beroemde uitspraak luidde. Hij gebruikte de opbrengst van 'Lonely Teardrops' dat hij samen met een ander voor Jackie Wilson schreef, om Motown Record Corp. op te richten met Anna Records, genoemd naar zijn zuster Anna Gordy, als een van de labels.

De Gordy's omringden zich met de beste musici, tekstschrijvers en producers van Detroit en Motown begon aan de lopende band platen te produceren in een studio die Hitsville, USA heette. De eerste hit, 'Shop Aroud', opgenomen door de Miracles en geschreven door Gordy en Smokey Robinson, kwam in 1961 uit.

Marvin Gaye zat al kort na zijn aankomst in Detroit bij Motown. Berry Gordy onderkende zeker dat Gaye talent had. Maar de twintigjarige kreeg zijn positie als Prins van Motown pas toen Anna Gordy, zevenendertig, verliefd op hem werd. Ze trouwden in januari 1961.

Gaye leverde een bijdrage, speelde slagwerk en was achtergrondzanger bij een aantal Motown hits. Maar hij zag zichzelf meer als een zanger van jazzballads in de trant van Nat King Cole en zijn kenmerkende look omvatte een T-shirt en wollen trui als een zwarte Perry

Como. De eerste Motown LP van Gaye, 'The Soulful Moods of Marvin Gaye', bevatte covers van 'My Funny Valentine', 'Love for Sale' en 'How High the Moon'. Op de eerste Motown Revue bustournees zong hij 'What Kind of Fool Am I' en 'Days of Wine and Roses', maar het publiek was niet enthousiast.

Gordy haalde Gaye in 1962 over om zijn eerste nummer in R&B-stijl op te nemen: 'Stubborn Kind Of Fellow.' Hij belandde in de top 10. In een periode van tien maanden gebruikte hij dezelfde stijl met veel soul en zang in de hoge registers voor een reeks hits waaronder 'Hitch Hike', 'Pride and Joy' en 'Can I get a Witness'.

Toch bleef Gaye ook de ballads trouw. Een album met ballads uit 1964 bevatte covers van 'I'll Be Around' en 'I've Grown Accustomed to Your Face'. Een plaat uit 1965 ter ere van Cole bevatte 'Ramblin' Rose' en 'Mona Lisa'. Een opname uit 1965 van songs uit Broadway shows bevatte 'People' en 'Hello Dolly'. Die LP's verzamelden stof, terwijl zijn R&B nummers de platenzaken uitvlogen. Ten slotte gaf Gaye toe.

In 1964 begon een opmerkelijke periode van zes jaar waarin hij aan de top bleef staan met songs als 'How Sweet It Is (To Be Loved By You)', 'I'll Be Doggone', 'Ain't That Peculiar' en 'It Takes Two' (met Kim Weston). In 1967 en 1968 vormde hij een duo met Tammi Terrell, een bereisde R&B achtergrondzangeres, en samen maakten ze een verbluffende reeks hits: 'Ain't No Mountain High Enough', 'Your Precious Love', 'If I Could Build My Whole World Around You', 'Ain't Nothing Like The Real Thing' en 'You're All I Need to Get By'.

In oktober 1968 had hij zijn grootste hit met een cover van 'I Heard It Through the Grapevine', waarmee Gladys

Knight opmerkelijk genoeg een jaar eerder de top 5 had gehaald. Daarop volgden voor hem: 'Too Busy Thinking About My Baby' en 'That's the Way Love Is'.

Rond 1970 had Gaye genoeg van wat hij *'stomme liefdesliedjes'* noemde. Nadat hij had gehoord wat zijn broer had meegemaakt in Vietnam en door de sociale onrust in Amerika, begon Gay te werken aan een LP die zijn oorspronkelijke muzikale getuigenis zou worden. In mei 1971 bracht Motown Gaye's 'What's Going On' uit, een complex conceptalbum met onderwerpen als oorlog, ecologie, racisme, armoede, geloof en politieke en sociale corruptie. De hitsingles waren 'What's Going On', 'Mercy Mercy Me (The Ecology)' en 'Inner City Blues'.

Zoals de auteur Ben Edmonds schreef: *'Marvins nieuwe soul muziek kwam recht uit de ziel. Marvins vraag "What's going on (Wat is er aan de hand)?" was voor de zwarte muziek wat Bob Dylans "How does it feel (Hoe voelt het)?" een half decennium eerder voor de rock-'n-roll was geweest.'*

Gaye tekende een platencontract met Motown voor één miljoen dollar. Hij gaf zijn vader een nieuwe Cadillac cadeau.

Een auteur vroeg of zijn vader dankbaar was. Gaye antwoordde droog: *'Niet bijzonder.'*

Het superego

Op 'What's Going On' kreeg de zanger een ongekende waardering, waaronder een sleutel van de stad Washington en een nationale prijs van de NAACP (nationaal genootschap voor de bevordering van gekleurde mensen). Marvin

Gaye stond aan de top van de muziekwereld. Maar voor hem was dat niet hoog genoeg.

Gaye's ego zwol op. In een interview met *Time Magazine* plaatste hij zich zelfs in het gezelschap van God. *'God en ik trekken samen op in rechtschapenheid en goedheid,'* zei hij. *'Als mensen ons willen volgen, dan kan dat.'*

Tegen het tijdschrift Crawdaddy zei hij: *'Ik vergelijk mezelf niet met Beethoven. Daar moet ik duidelijk in zijn. Ik denk alleen dat ik alles kan wat hij kon. Het enige verschil tussen Beethoven en mij is tijd. Beethoven had het van het begin. Ik begin het te krijgen. Dat kost me tijd, omdat ik geen echte opleiding heb gehad.'*

Hij pochte dat hij werkte aan een 'symfonie in twee delen' (zijn klassieke meesterwerk zou nooit gestalte krijgen). Na de muziek te hebben geschreven voor de film 'Trouble Man', een negermelodrama, zei Gaye tegen biograaf Ritz: *'Ik had ongetwijfeld een Hollywoodster kunnen worden, maar dat was iets dat ik bewust heb afgehouden. Niet dat ik het niet wilde. Zeker wel. Ik miste alleen de standvastigheid om de spelletjes van Hollywood mee te spelen en me daaraan uit te leveren.'*

Misschien wel het opmerkelijkste element in Marvin Gaye's hunkerende persoonlijkheid betrof zijn waanideeën over grootse sportieve prestaties. In Detroit was hij bevriend geraakt met Mel Farr en Lem Barney, sterren van het Lions Football team. Gaye besloot dat hij ook een ster in het American Football kon worden en kondigde aan dat hij een oefenwedstrijd voor de Lions ging spelen als wide reciever – ook al was hij mager, niet de jongste meer en ongetraind. De Lions speelde het spelletje mee voor de publiciteit tot duidelijk werd dat Gaye het meende. Het team kapte ermee met het oog op de mogelijke wettelijke aansprakelijkheid.

Gaye was hoe dan ook een middelmatige sportman. Toch bevatte een concertprogramma uit de jaren zeventig van de vorige eeuw deze bizarre levensbeschrijving: *'Marvin Gaye is een briljante allround atleet. Hij had een voortreffelijk zwemmer, hardloper, hoogspringer, baseball-speler, footballspeler of basketballspeler kunnen zijn. Hij speelt regelmatig wedstrijden tegen bekende sporters in al deze disciplines.'*

De levensbeschrijving vergeleek Gaye's zwemcapaciteiten met die van Mark Spitz, op dat moment de beste zwemmer ter wereld.

Gaye speelde in de jaren zestig golf met een groepje van Motown met onder meer Smokey Robinson en Berry Gordy jr., beiden goede golfers. De anderen zeiden dat Gaye altijd laatste werd van zijn foursome, ook al speelde hij vals.

Let's Get It On

Terwijl Gaye een muzikale persoonlijkheid had opgebouwd van de ultieme minnaar, was zijn echte liefdesleven een puinhoop. Zijn huwelijk met Anna Gordy was van het begin af aan stormachtig geweest met inbegrip van lichamelijk geweld. Marvin zei: *'Bij verschillende gelegenheden hebben we klappen uitgedeeld en ik zal je iets vertellen: Anna stond haar mannetje.'*

Het stel had geen kinderen kunnen krijgen en daarom in 1965 een zwangerschap gefingeerd, waarbij Anna positiejurken droeg en Marvin opschepte over de komende geboorte. Op de geplande datum adopteerden ze een zoon die ze Marvin III noemden.

De list kwam uit de koker van Marvin die zich kennelijk schaamde voor het gebrek aan mannelijkheid dat adoptie suggereerde.

Anna en Marvin gingen vaak uit elkaar en tijdens hun decennium samen hadden ze allebei veel verhoudingen. Marvin was belangstelling gaan krijgen voor pornografie en had een steeds terugkerende seksuele fantasie over een jonge vrouw die veel minnaars had terwijl hij toekeek.

Volgens een verhaal dat bij Motown de ronde deed, was Marvin in de studio de titelsong van zijn album voor 1973 'Let's Get It On' aan het opnemen, toen een tiener die Janice Hunter heette, de regelkamer in kwam. Janice wilde zangeres worden en ze had haar vader die een van de producers van de plaat was, gesmeekt om haar aan Gaye voor te stellen. Marvin zei dat het wellust op het eerste gezicht was. Hunter, zei hij, was *de figuur uit mijn fantasie die tot leven was gekomen*'. Hij zei dat hij 'Let's Get It On' opnam, terwijl hij in ogen van de jonge Hunter keek. En 'Get It On' – vrijen – is wat ze deden.

Hoewel hij drieëndertig was en Janice zestien, was het de moeder van het meisje die *de relatie aanmoedigde,*' zei Gaye. De geliefden trokken zich terug in een berghut in Topanga Canyon in Californië. Ze was al gauw zwanger en in september 1974 zag Nona Gaye het daglicht. *Vreugde en geluk waren mijn eerste gevoelens,*' zei Gaye. *'Natuurlijk was ik nog wel met Anna getrouwd en dat maakte het wat ingewikkeld. Maar in de loop van de jaren heb ik geleerd dat complicaties soms het best kunnen worden aangepakt door er geen aandacht aan te schenken.*'

Een volgend kind, Frankie, werd veertien maanden

later geboren. Anna en Marvin scheidden in 1977 en een paar maanden later trouwde hij met Janice. Intussen gebruikte Marvin Janice als de minnares uit zijn voyeursfantasie.

Vreemd genoeg vertelde de zanger zijn moeder Alberta alles van zijn seksuele uitspattingen. Zij zei dat Marvins seksualiteit was ontwikkeld door Anna Gordy Gaye. '*Anna leerde Marvin bepaalde trucs – trucs met haar lichaam, sekstrucs – die Marvin weer aan Jan leerde,*' vertelde Alberta tegen schrijver Ritz.

Net als bij Anna ging Marvins verhouding met Janice weer gepaard met lichamelijk geweld dat sommigen beschouwen als een blijk van zelfverachting. Zoals schrijver Robert Christgau het stelde: Gaye '*merkte dat hij vrouwen verachtte omdat ze de perverse dingen deden waartoe hij hen dwong*'.

Voor haar eenentwintigste werd Janice al gedwongen tot een verhouding met een aantal zangers onder wie Frankie Beverly, Rick James en Teddy Pendergrass. Jeanne Gay zei: '*Marvin vroeg Jan niet om vreemd te gaan, maar hij werd kwaad op haar als ze hem weigerde te gehoorzamen en hem de verhalen niet wilde vertellen van de verhoudingen die ze van hem moest hebben.*' Zijn moeder voegde eraan toe: '*Hij wilde dat Janice met andere mannen ging. Dan zouden de pijnlijke consequenties voor hem zijn. Hij wilde lijden.*'

De wereld dringt op

Tegen 1973 was Gaye's gedrag steeds labieler geworden. Hij vermeed studiowerk, miste concertafspraken en zonderde zich af. Na een ruzie met Anna sloot Gaye zich met een pistool op in een appartement en dreigde zichzelf of iedereen die naar binnen kwam, te doden. Berry Gordy sr., zijn schoonvader, haalde hem over geen geweld te gebruiken. Maar de intimi van Gaye maakten zich zorgen over een mogelijke zelfmoord, vooral wanneer hij onder de invloed van verdovende middelen was.

Gaye zei dat hij in 1960 tijdens een bustournee van de Motown Revue voor het eerst drugs gebruikte. Hij had een verhouding met een 'shake dancer' uit de show die bekend stond als Titty Tassel Toni en zij bracht hem aan de marihuana. Pot is voor *'de snelle lach,'* vertelde Gaye aan Ritz. *'Maar coke is een andere zaak. Snuif is wat me echt liet vliegen. Er waren ogenblikken dat ik echt dacht dat ik er was geweest. Ik heb het over tijden – echte rottijden – dat ik zoveel sneeuw opsnoof, dat ik er zeker van was over een paar minuten dood te zijn. Het idee dat er van mij niets anders over zou zijn dan mijn muziek, stond me wel aan.'*

Maar cocaïne kost geld, zeker met de hoeveelheden die hij gebruikte. En geld was een steeds groter twistpunt voor Gaye geworden. Hij had twee inkomstenbronnen: tournees en platenverkoop. Gaye had een hekel aan tournees. Ze waren lichamelijk uitputtend, deels door zijn drugsgebruik. (*'Ik gebruik normaal al genoeg drugs,'* zei hij, *'maar op tournee wordt dat het driedubbele.'*) Hij had zijn hele carrière last van plankenkoorts en hij was bang om te vliegen. Vaak sleepte hij zijn moeder mee op tournee om steun te hebben. Hij zei: *'Als moeder niet had meegereisd, zou ik nooit het lef hebben gehad om nog eens live op te treden.'*

Tijdens de jaren zeventig ging hij alleen op tournee om zijn groeiende schulden af te betalen – waaronder een belastingaanslag van twee miljoen dollar voor het niet opgeven van voorschotten op platencontracten.

Een scheidingszaak die was aangespannen door Anna zorgde voor nieuwe financiële druk, nadat een rechter hem voorlopig had veroordeeld tot het betalen van $ 5.500 per maand in afwachting van een definitieve regeling.

Volgens biograaf Steve Turner verdiende Gaye in 1975 $ 20.000 per maand en zijn productiemaatschappij haalde dat jaar een winst van $ 1,2 miljoen uit de nationale tournee van de zanger. Toch kon Gaye de $ 5.500 per maand voor zijn vrouw en aangenomen zoon niet opbrengen, omdat hij zijn geld verkwistte aan cocaïne en andere uitspattingen.

Hij kocht een herenhuis in tudorstijl in de wijk Crenshaw van L.A. voor zijn ouders. Voor zichzelf kocht hij een landgoed van 2 hectare in Hidden Hills met een basketbalveld en volledig ingerichte paardenstallen, ook al had hij geen belangstelling voor paarden. Hij kocht een aandeel in de New Orleans Jazz NBA franchise. Hij kocht een huis aan zee in Jamaica. Hij kocht veertien auto's, waaronder een Rolls Royce, een jaguar en verschillende Mercedessen. Hij kocht een speedboot, een klein jacht, een camper en een paar tractors.

Hij nam een financieel belang in een paar prof-boksers – hij betaalde hun uitgaven om te kunnen delen in de verwachte winst in de toekomst. Niet één brak ooit door.

Hij bouwde een volledig uitgeruste opnamestudio op Sunset Boulevard in L.A., compleet met een suite met een heel groot waterbed en een bad dat groot genoeg was voor een harem.

Na een miljoen dollar te hebben geëist, ging Anna

Gordy Gaye bij de scheiding akkoord met een eenmalig betaling van $ 600.000, een bedrag dat Marvin verwachtte te verdienen met een plaat die hij speciaal daarvoor ging opnemen. Het album uit 1978 dat vals de titel 'Here, My Dear' meekreeg, werd afgekraakt en was een commerciële flop. Het bevatte egocentrische thema's en titels als 'Anger' (woede) en 'You Can Leave, but It's Going to Cost You' (je kunt vertrekken, maar dat zal je wel wat kosten), een verwijzing naar Anna's waarschuwing dat het 'meisje' Hunter Gaye een fortuin zou kosten. Maar de betaling van Anna loste slechts een klein deel van zijn schuldenlast op.

Een oud-manager beweerde dat Gaye hem twee miljoen dollar schuldig was. Vier musici hadden Gaye met succes aangeklaagd voor $ 200.000 achterstallige gage en de Californische overheid sloot zijn studio, omdat er geen belasting was betaald.

Zijn laatste strohalm om weer vaste financiële bodem te voelen kon hem op 28 september 1979 worden aangereikt, toen Andy Price, een bokser die hij onder contract had, in de ring kwam tegen kampioen weltergewicht Sugar Ray Leonard. *'Als Price kon winnen, zaten er in de toekomst miljoenen dollars winst voor mij in,' zei Gaye. 'met één klap zou ik... mijn hele financiële puinhoop kunnen opruimen.'* Leonard sloeg de bokser van Gaye in de eerste ronde knock-out.

De wereld dringt op

Een paar weken later vluchtte Gaye naar Hawaii voor wat hij later 'een lange zenuwinzinking' noemde. Een tijd lang woonde hij in een busje op het strand. Toen hij blut was, smeekte hij zijn moeder om de diamanten te belenen die hij haar had gegeven en hem het geld te sturen voor coke. Hij troggelde ook geld af van kameraden als Smokey Robinson, Stevie Wonder en Wally Amos. '*Ik had het opgegeven,*' vertelde hij tegen Ritz. '*De problemen waren te groot voor mij. Ik wilde gewoon met rust worden gelaten om mijn hersens op te blazen met hoogoctaan coke. Het zou een langzame, maar betrekkelijk prettige dood zijn en zeker minder rotzooi maken dan een pistool.*'

Hij zei dat hij op een gegeven moment bijna dertig gram cocaïne in een uur opsnoof en daarna zijn moeder belde om afscheid te nemen, omdat hij er zeker van was aan een overdosis te zullen sterven. Hij stierf niet. Janice, bijna zijn tweede ex-vrouw, probeerde Gaye met beide benen op de grond te krijgen. Maar hun hereniging liep weer uit op lichamelijk geweld en deze keer kwam er een mes bij dat hij op haar hart richtte. Gaye zei: '*Ik wilde haar doden. Ik deed het bijna. Ik wilde mezelf doden, maar ik had de moed niet.*'

Na negen maanden keerde hij terug naar L.A. om te ontdekken dat zijn financiële problemen er nog waren. Met tegenzin stemde hij in met een concerttournee door Europa in 1981 en toen bleef hij drie jaar in het buitenland om de fiscus te ontlopen.

Hij legde het aan met Eugenie Vis, een blonde groupie met wie hij na een concert in Amsterdam naar bed ging. Vis had een romantische vrijpartij met de zanger verwacht. In plaats daarvan, zei ze, bedreef sekssymbool Gaye de liefde 'zonder enig gevoel van warmte'. Toen ze begon te huilen door zijn gebrek aan romantiek, werd hij impotent. Vis vertelde schrijver Turner dat Gaye haar liet kennismaken met groepseks en voyeurisme. Ze zei: *'Hij was graag de meester. Hij experimenteerde ook graag. Hij had een keer een zweep en speelde daarmee. Een andere keer vroeg hij me met een paar andere vrouwen te slapen, omdat hij dat wilde zien, maar hij heeft me nooit pijn gedaan of zijn zelfbeheersing verloren.'*

Terwijl hij in het buitenland was, kwam nieuw materiaal van Gaye uit: 'In Our Lifetime'. Het zou de laatste plaat met Motown worden. De platenmaatschappij had er jarenlang op aangedrongen de plaat te produceren, maar Gaye was blijven treuzelen. Het label bracht de plaat ten slotte uit zonder de toestemming van de zanger en hij was woedend. *'Ik was er nog niet klaar mee,'* zei hij. *'Stel je voor dat je tegen een schilder als Picasso zegt dat hij lang genoeg aan dat schilderij heeft geprutst. Dat kan toch niet?'*

Zijn betrekkingen met Motown waren onherstelbaar beschadigd en in 1982 verkocht het label zijn contract aan CBS Records.

Sexual Healing

Gaye was in Europa cocaïne gaan roken. Hij deed nu zozeer waar hij zin in had, dat hij de drug openlijk rookte tijdens een reeks interviews die hij gaf om de nieuwe Motown plaat te promoten. Tijdens een interview voor het tijdschrift Blues and Soul vroeg een schrijver aan Gaye hoe hij herinnerd zou willen worden. Hij antwoordde: *'Als een van de of liever de grootste artiest die op aarde heeft rondgelopen.'*

Hij gaf een ander interview in zijn appartement in het

Belgische Oostende aan David Ritz, een oude kennis met wie Gaye had gesproken over het schrijven van een boek. Gaye's appartement lag bezaaid met sadomasochistische tijdschriften en andere verwrongen pornografie. De schrijver opperde dat Gaye behoefte had aan 'sexual healing – seksele genezing'.

Ritz schreef: *'Op mijn manier gaf ik daarmee aan wat hij volgens mij nodig had, een herstel van de uit zijn jeugd stammende verwarring over wat genot en pijn was.'*

Maar het advies gaf Gaye een goed aanknopingspunt voor een songtitel. In een helder moment krabbelde hij een tekst neer en paste die aan bij een langzame, instrumentale compositie in reggaestijl van keyboardspeler Odell Brown, een van zijn bandleden. CBS bracht 'Sexual Healing' snel als single uit en het werd de best verkochte soulhit sinds de geboorte van disco. Een maand later bracht de maatschappij de song uit op de snel geproduceerde LP 'Midnight Love'.

In een reeks interviews deed Marvin Gaye zich voor als een meester in liefde, romantiek en seks. Hij vertelde in de *Los Angeles Times* dat mensen zijn voorbeeld moesten volgen. Hij zei: *'Ze moeten hun seksuele fantasieën beleven. Iedereen zou gelukkiger en minder overspannen zijn als ze seksueel konden doen wat ze wilden.'*

Ondanks geruchten over Gaye's zwakke geestesgesteldheid en cokeverslaving draaide CBS snel een concerttournee in elkaar om het succes van zijn nieuwe single te gelde te maken. De Sexual Healing Tour begon op 18 april in San Diego en zou volgens schema doorlopen tot 14 augustus. Weinigen verwachtten dat hij dat zou halen.

Zoals een bandlid tegen Ritz zei: *'Er was bij die tournee*

meer coke dan bij enige andere tournee in de geschiedenis van de amusementsmuziek.'

In het verloop van de tournee werd het gedrag van Gaye steeds excentrieker. Hij raakte steeds meer geobsedeerd door seks. Hij nodigde groepjes van vijf of zes mannen en vrouwen uit om in zijn kamer seks te hebben, terwijl hij toekeek. Op het podium begon hij tijdens het laatste nummer 'Sexual Healing' een striptease te doen tot op zijn slip.

Intussen werd hij geplaagd door paranoia. Hij nam een legertje bodyguards in dienst en droeg alleen op het podium geen kogelvrij vest. Hij wilde bewakers hebben voor de deuren van zijn hotelkamer. Hij hield vol dat er een huurmoordenaar was aangenomen om hem te doden en hij was bang dat hij heimelijk werd vergiftigd.

In Boston zaten verslaggevers bij een persconferentie tijdens de tournee met open mond naar Gaye te luisteren die onthulde dat hij de befaamde advocaat F. Lee Bailey in de arm had genomen om vast te stellen hoe, waarom en door wie hij tijdens zijn tournee was vergiftigd. Hij voegde eraan toe dat een tegengif van de activist en komiek Dick Gregory zijn leven had gered.

Vlucht naar huis

Gaye overleefde de tournee en kroop toen naar het huis in de wijk Crenshaw van L.A. dat hij voor zijn ouders had gekocht.

Zijn moeder zei: *'Ik had Marvin nog nooit zo slecht gezien als na deze tournee. Hij was uitgeput. Hij had opgenomen moeten worden in een ziekenhuis... de mensen om hem heen hadden hem moeten dwingen, maar zij deden wat hij wilde. Zo was het altijd geweest.'*

Gedurende de volgende negen maanden was huize Gay/Gaye een menselijke dierentuin. Marvin sr., Alberta en Marvin jr. sliepen in drie naast elkaar gelegen kamers op de eerste verdieping. (Het echtpaar had al tien jaar niet meer samen in hetzelfde bed geleden.) Marvins broer Frankie en zijn vrouw woonden in een aangrenzend gastenappartement.

Marvin sr. zat het grootste deel van de tijd in zijn kamer wodka naar binnen te gieten, terwijl Marvin jr. in zijn kamer naar videobanden en tijdschriften met porno zat te kijken en cocaïne rookte – vaak terwijl zijn moeder handenwringend naast hem zat. Zij zei dat ze moest huilen en Marvin zei dan: *'Moeder, dit is de laatste keer, ik beloof het.'*

Dan pakte Marvin jr. de telefoon en verschenen mannen om drugs af te leveren. Er kwamen ook vrouwen, onder wie groepies en zijn ex-vrouwen Anna en Janice met wie hij opnieuw een seksuele verhouding aanknoopte. Hij sloeg ook een aantal van de vrouwelijke bezoekers, onder wie Janice.

Nog steeds paranoïde betaalde Marvin jr. voor de installatie van een uitgebreid en duur beveiligings- en bewakingssysteem.

Marvin had een kwart eeuw niet met zijn vader onder één dak gewoond. Afgezien van de bagage uit zijn jeugd en conflicten over drugs, seks en porno, waren er nog twee zaken die de gespannen verhouding tussen hen op scherp zette. Alberta Gay was in het najaar van 1983 geopereerd aan een nier. Marvin sr. was om onduidelijke redenen naar Washington gegaan en hij had geweigerd terug te keren naar Californië om zijn vrouw te steunen bij de operatie. Marvin jr. had ook gehoord dat zijn vader hun huis in Washington tijdens zijn verblijf daar had verkocht. Hij vond dat zijn moeder recht had op de helft van dat geld, maar Marvin sr. weigerde toe de geven dat hij het huis had verkocht.

Hoewel de mannen erin slaagden elkaar het grootste deel van de tijd te ontlopen, was de lichamelijke spanning zo tastbaar, dat Marvin sr. tegen zijn dochter Jeanne zei: *'Als hij een vinger naar me uitsteekt, vermoord ik hem.'*

De laatste ruzie

In zijn paranoia was Marvin jr. vuurwapens gaan verzamelen toen hij weer thuis was na de Sexual Healing Tour. Op een gegeven moment had hij een goedkoop machinegeweer in zijn kamer tot zijn moeder erop stond dat hij het wegdeed. Om redenen die niet geheel duidelijk zijn, gaf Marvin met kerstmis 1983 zijn vader een handvuurwapen, een ongeregistreerde .38 kaliber Smith & Wesson.

Op de avond van 31 maart 1984 werd Marvin sr. kwaad, omdat hij een document dat betrekking had op een verzekeringspolis niet kon vinden. Hij rende door het huis en schreeuwde tegen Alberta die hij de schuld van het zoekraken van het document gaf.

Toen hij de volgende dag, zondag 1 april, de dag voor de vijfenveertigste verjaardag van Marvin jr., wakker werd, was hij nog steeds kwaad. Om ongeveer elf uur 's ochtends schreeuwde hij naar boven tegen zijn vrouw die in de slaapkamer van Marvin jr. was. De zoon kwam boven aan de trap staan en schreeuwde terug dat hij naar Alberta toe moest gaan als hij iets te zeggen had.

De vader rende de trap op en liep de kamer van zijn zoon in. Marvin jr. sprong van zijn bed en duwde zijn 70-jarige vader de gang op, sloeg hem neer en trapte hem. Alberta kwam tussenbeide en de mannen stopten. Marvin jr. keerde terug naar zijn bed.

De vader stond op en liep door de gang naar zijn eigen slaapkamer. Enkele ogenblikken later stond hij bij Marvin jr. in de deuropening. Hij hief zijn hand op naar zijn zoon en Alberta kon zien dat hij het pistool vasthield dat Marvin jr. hem had gegeven. Hij haalde de trekker over en schoot zijn zoon in de borst, dwars door zijn hart. Toen Marvin jr. van zijn bed op de vloer rolde, zette zijn vader een paar stappen naar voren en schoot nog een keer. Het tweede schot was overbodig.

Marvins broer Frankie rende op het geluid van de schoten af. Zijn vrouw Irene belde 911. Het ambulance-personeel vond Marvin sr. die op de veranda voor het huis zat. Ze wilden eerst het pistool zien voordat ze het huis binnengingen. Irene vond het onder het kussen van Marvin sr. en wierp het op het gras.

Gaye werd snel naar het California Hospital gebracht. Pogingen om hem te reanimeren waren vergeefs. Om 1.01 uur 's middags werd hij dood verklaard.

Het postmortem

Iedereen wees met een beschuldigende vinger en kwam met verklaringen na Gaye's dood. Jeanne Gay zei: *'In het verleden had vader heel duidelijk aangegeven dat als*

Marvin hem sloeg, hij hem zou vermoorden. Vader heeft dat bij meer dan één gelegenheid openlijk gezegd.'

Andre White, de lijfwacht van Gaye, vertelde aan de schrijver Turner, dat het eigenlijk een zelfmoord was. Hij zei: *'Hij wilde sterven, maar kon het niet zelf. Hij kreeg zijn vader zover.'*

Dr. Ronald Markman, een psychiater die Marvin Gay sr. onderzocht, had zijn eigen idee over de schietpartij. *'Ik geloof dat mensen gaan moorden, omdat ze worden vernederd,'* zei hij tegen Turner. *'Het gaat er niet om of je pacifist, dominee of rabbijn bent. Het gaat erom of je in staat bent een vernedering te slikken zonder de behoefte tot vernietiging te voelen. Die dag had Marvin zijn vader vernederd door hem neer te slaan. Er was dus sprake van een 45-jarige man die een 70-jarige man sloeg. Hij werd tegen de grond geslagen. Hij stond zonder een woord op, maar hij ging een pistool halen en keerde terug om hem te vermoorden.'*

Een week na de moord gaf Marvin sr. in een interview in het huis van bewaring een verklaring voor zijn handelen tegenover de *Herald-Examiner* uit Los Angeles. *'Ik haalde de trekker over,'* zei hij. *'De eerste kogel leek hem niets te doen. Hij bracht zijn hand naar zijn gezicht alsof hij was geraakt door een luchtbuks. En toen schoot ik nog eens. Ik ging terug naar mijn kamer. Ik wilde daar naar binnen gaan en de deur sluiten. Deze keer hoorde ik hem "Oh" zeggen en zag ik hem vallen. Ik weet dat ik het pistool heb afgevuurd. Ik probeerde alleen om hem uit mijn buurt te houden. Ik wil dat de hele wereld weet dat het geen arrogantie van mijn kant was.'*

Op de vraag of hij van zijn zoon hield, koos Marvin sr. zijn woorden zorgvuldig voordat hij antwoordde: *'Laten we zeggen dat ik geen hekel aan hem had.'*

Ongeveer tienduizend mensen woonden de begrafenis bij die werd geleid door de Hoofdapostel van het Huis van God, de oude kerk van zijn vader. Stevie Wonder zong en Smockey Robinson en Dick Gregory lazen uit de bijbel. Gaye werd begraven in een kostuum van zijn laatste tournee – een goud met wit uniform in militaire stijl met een hermelijnen stola om zijn schouders.

Bij een autopsie was ontdekt dat Marvin jr. zowel cocaïne als angel dust in zijn lichaam had toen hij stierf. En bij een lichamelijk onderzoek van Marvin sr. na zijn arrestatie werden volgens de autoriteiten 'zware kneuzingen' aangetroffen die hem kennelijk waren toegebracht door het schoppen en slaan van zijn zoon vlak voor de schietpartij.

Marvin sr. werd aangeklaagd voor moord, maar op 20 september 1984 mocht hij schuld bekennen aan doodslag op grond van zijn leeftijd (zeventig), de geweldpleging door zijn zoon en de drugs in het lichaam van zijn zoon. Hij verscheen op 2 november voor rechter Gordon Ringer om zijn vonnis aan te horen. *'Dit is een van die vreselijk tragische gevallen waarin een jong leven werd vernietigd,'* zei Ringer. *'Maar onder de omstandigheden lijkt iedereen, ook de zeer kundige en ervaren rechercheurs van politie in deze zaak, het erover eens te zijn, dat de jongeman die een tragische dood stierf, dit voorval uitlokte en dat het allemaal zijn schuld was.'*

Marvin sr. werd de gelegenheid geboden om het woord te voeren. Hij zei: *'Als ik hem terug kon brengen, zou ik het doen. Ik was bang voor hem. Ik wist niet wat er zou gebeuren. Ik heb echt spijt van alles dat er is gebeurd.'* Ringer legde een voorwaardelijke straf van zes jaar op met een proeftijd van vijf jaar. Hij verbood Gay om te drinken of een vuurwapen te bezitten.

Gay sr. verhuisde naar het Inglewood Retirement Home. Alberta liet zich na negenenveertig jaar van hem scheiden. Drie jaar na het dodelijke voorval stierf ze aan botkanker. Marvin sr. stierf in 1998 aan longontsteking. Hun zoon Frankie stierf in 2001 aan een hartaanval.

Gaye stierf zonder testament, dus kwam zijn nalatenschap niet ten goede aan zijn drie kinderen. Hij was Anna Gordy Gaye nog $ 293.000 schuldig en de overheid kreeg nog $ 1,6 miljoen aan achterstallige belasting. Uit de opbrengsten van zijn platen werden die schulden geleidelijk afbetaald, terwijl Motown en CBS voor de rechtbank uitvochten wie de rechten had op de onuitgebrachte platen van Gaye.

Gaye had meer dan tweehonderd songs geschreven of opgenomen en zesenzestig daarvan waren een hit. In 1987 werd hij uitverkoren tot de Rock-'n-Roll Hall of Fame.

3.

JOHN F. KENNEDY

Inleiding

Hierover zijn de meeste Amerikanen het eens: president John F. Kennedy werd op 22 november 1963 neergeschoten en gedood in Dallas, Texas. Maar vier decennia later staat bijna elk ander detail van de moord op de charismatische en fotogenieke politicus ter discussie. Zat de CIA erachter? Fidel Castro? De maffia? De FBI? LBJ? De Russen? Marsmannetjes? Of waren Lee Oswald die van de moord werd beschuldigd, en Jack Ruby die Oswald doodde, gewoon 'twee geschifte eenlingen' die erin slaagden een paar ondenkbare kogels af te vuren? *'Voor de meeste Amerikanen is het een soort gezelschapsspel,'* zegt professor John McAdams die op de Marquette University in Milwaukee een college geeft over de moord. *'Mensen vragen me wel eens: "Goed, wat is uw theorie over de dader?" En ze kijken teleurgesteld als ik zeg: "Oswald deed het helemaal alleen."'*

Dat was natuurlijk ook de conclusie van de presidentiële commissie die een week na de moord werd aangesteld. Onder leiding van opperrechter Earl Warren van het hooggerechtshof bracht de commissie op 24 september 1964 als eindoordeel *'Oswald handelde alleen'* naar buiten. Op die datum werd het startsein gegeven van niet te onderdrukken complottheorieën en de discussie wie het had gedaan, kon sindsdien niet worden afgesloten.

'De moord op Kennedy heeft echt een mystieke betekenis gekregen,' vertelt de 58-jarige McAdams aan Crime Library. In dit tijdperk vol complottheorieën zegt McAdams: *'De grootste en indrukwekkendste complottheorie is de complottheorie over de moord op Kennedy.'* Volgens McAdams

blies de film 'J.F.K.' van Oliver Stone de complottheorie nieuw leven in door de marginale theorie van officier van justitie Jim Garrison ernstig te nemen. De film trekt nog steeds nieuwkomers de obsederende wereld van Kennedy-moordfanaten in.

Aan de ene kant zijn er de aanhangers van de complot-theorie, aan de andere kant de zogenaamde hekelaars. Beide partijen voeren argumenten aan met een harts-tocht die normaal is voorbehouden aan politiek en religie. Er zijn talloze boeken over de moord geschreven en misschien wel een honderdtal websites zijn aan het onderwerp gewijd, waaronder een uitgebreid archief dat wordt onderhouden door McAdams. In deze arena's komen de complotaanhangers met vragen die de heke-laars proberen te beantwoorden.

Sommige vragen zijn algemeen: Waarom heeft de geheime dienst het lichaam van Kennedy van Dallas naar Washington getransporteerd? Andere zijn zeer specifiek, zoals: *'Waarom ontbreekt de rechteroogkas op de röntgen-foto die van JFK zou moeten zijn?'*

Dave Reitzes, een 34-jarige schrijver die in Delaware woont, heeft aan beide kanten gestaan. *'Ik werd aange-trokken door de film van Oliver Stone in 1991,'* schrijft hij in een e-mailinterview. *'acht of negen jaar lang was ik een fanatieke aanhanger van de complottheorie, maar ik draaide honderdtachtig graden om, toen ik begon te beseffen hoe verkeerd mijn ideeën waren geweest.'* Hij zegt dat de complottheorieën stoelen op het ongeloof dat een mislukkeling als Oswald – *'een onnozele kleine com-munist,'* zou Jackie Kennedy hem hebben genoemd – een president kon vermoorden, en op een gebrek aan vertrouwen in de regering en het aanvechtbare werk van belangrijke journalisten en geschiedkundigen, die discutabele theorieën vrijwel niet aan de kaak stelden. Hij voegt eraan toe: *'De waarheid is beschikbaar voor iedereen die er aandacht aan wil besteden. Maar wie geen onderscheid kan maken tussen verifieerbaar bewijs en de populairdere varianten – onbevestigde ooggetuigenverklaringen, geruchten, roddels en gissingen – veroordeelt zichzelf tot het eeuwig najagen van schaduwen, zoals degenen die in vliegende schotels, de verschrikkelijke sneeuwman en dergelijke geloven.'*

Reitzes zegt dat de complottheorieën vernietigend kunnen zijn. *'Ik moet toegeven dat ik het de laatste tijd moeilijk vind om er veel belangstelling voor op te brengen,'* zegt hij. *'Ik ga me ergeren aan de schijnbaar eindeloze reeks voorbeelden van lichtgelovigheid en de theorieën worden er zeker niet geloofwaardiger op. In tegendeel, met de jaren worden ze buitenissiger.'*

Barb Junkkarinen, een prominente complotaanhangster, moet toegeven dat bizarre gissingen de zaak vertroebelen. *'Helaas krijgen de mafkezen aan beide zijden alle aandacht,'* zegt ze. *'Iedereen (in de media) stormt op hen af en de rest van ons heeft daaronder te lijden.'*

Junkkarinen is tweeënvijftig en woont in de buurt van Portland, Oregon. Ze heeft bijzonder veel belangstelling voor de medische aspecten, waaronder ook details van de kogelwonden, en een grote kennis van zaken. Ze betwijfelt of Oswald Kennedy neerschoot. Ze gelooft daarentegen dat hij diende als bliksemafleider voor een groter complot dat in de doofpot werd gestopt door een panische Amerikaanse regering.

Junkkarinen zegt dat ze al lang voor de film van Oliver Stone grote belangstelling koesterde voor de moord op

JFK. (Ze geeft toe dat het een obsessie is; haar e-mailnaam is 'barbjfk'. En met een lach merkt ze op dat haar man haar kort geleden een Mannlicher-Carcano heeft gegeven, het merk geweer dat werd gevonden bij het raam in het gebouw van het Texas School Book Depository in Dallas van waaruit de moordenaar schoot.) *'Ik houd van mysteries,'* zegt Junkkarinen. *'Ik groeide op met de boeken van Nancy Drew en Trixie Belden. Ik denk dat ik daardoor en door het medisch bewijsmateriaal werd aangetrokken.'*

Ze is een actief lid van een discussiegroep over de Kennedymoord op het web, woont JFK conferenties bij en schrijft soms over het bewijsmateriaal. *'Een heleboel mensen willen de schuld leggen bij de verantwoordelijke persoon,'* zegt ze. *'Ik weet niet zeker of dat mogelijk is en of het belangrijk is. Persoonlijk denk ik dat als iemand zich zou melden om te zeggen "Er was een complot en er was een doofpot en nu is het een niet meer te ontwarren chaos", dat voor mij voldoende zou zijn.'*

En waarom is het op dit punt wel belangrijk? *'Ik denk dat het belangrijk is, omdat Amerikanen een geschiedenis verwachten en verdienen die de waarheid vertelt. En ik geloof niet dat we die krijgen,'* zegt Junkkarinen. *'Daar draait het om: de geschiedenis moet de waarheid vertellen.'*

McAdams, de professor van Marquette, zegt dat Jack Ruby grotendeels verantwoordelijk is voor het aanwakkeren van het wantrouwen van mensen als Junkkarinen.

'Ruby heeft enorm veel bijgedragen aan het ontstaan van de complottheorieën,' zegt hij. *'De Amerikaanse geschiedenis en het Amerikaanse volk een rechtszaak tegen Lee Harvey Oswald onthouden was verschrikkelijk.'*

Maar verschillende autoriteiten kunnen ook verantwoordelijk worden gehouden. Om te beginnen bood de politie van Dallas Ruby minstens tweemaal de gelegenheid om bij Oswald te komen. De politie voerde ook op andere punten een slordig onderzoek uit, waardoor het bewijsmateriaal in twijfel kon worden getrokken. De commissaris kwam snel tot de conclusie dat Oswald de moordenaar was en gaf zijn bevindingen toen door aan de media.

De geheime dienst en Kennedy's belangrijkste medewerkers vertrokken honderd minuten nadat de president dood was verklaard meteen uit Dallas. In Washington voerde een stuntelende groep artsen een prutserige autopsie uit op wat misschien wel het kostbaarste lijk uit de moderne Amerikaanse geschiedenis was.

De klunzige invasie in de Varkensbaai van Cuba en het gerucht dat de regering Kennedy maffiamoordenaars had ingehuurd om Fidel Castro te vermoorden – moordenaars die met de woorden van Lyndon Johnson 'als een verdomde Moord BV in het Caraïbisch gebied opereerden' – gaven voedsel aan het idee dat de VS met bijna iedere schurk zaken zouden doen om welk doel dan ook te bereiken.

Verdachte acties, onzuiver bewijs, de gebrekkige geloofwaardigheid, opvallende toevalligheden – deze factoren maakten voor velen twijfel tot een betere optie dan geloof.

Junkkarinen, een van de twijfelaars, gebruikt de vergelijking van een legpuzzel met 1000 stukjes die op zich al moeilijk genoeg is. Maar de doos met de puzzel van de JFK-moord bevat 2000 stukjes. Om die op te lossen moet je eerst zien te ontdekken welke 1000 stukjes er NIET bij horen.

Aan de andere kant staat McAdams, de hekelaar, die zegt dat te veel complotaanhangers één net niet helemaal passend stukje van de puzzel eruit halen en die fout dan gebruiken om het hele onderzoek naar de prullenmand te verwijzen. Van die tactiek is bekend dat die ook werkt in de huidige wereld van het strafrecht: '*Als de handschoen niet past, moet vrijspraak volgen.*'

De autocolonne

Het asfalt van vliegveld Love Field in Dallas stond op die ochtend in november vol met limousines en politiemotors waaruit de geheime dienst en de gemeentepolitie de autocolonne samenstelden die als geen andere in de Amerikaanse geschiedenis zou worden onderzocht.

Zestien auto's, een twaalftal motors en drie bussen stonden klaar om John F. Kennedy en zijn gevolg naar de Trade Mart midden in het centrum van Dallas te brengen, waar de president voorname burgers zou toespreken.

Air Force Two met vice-president Lyndon Johnson en zijn vrouw Lady Bird landde om 11.30 uur na een korte vlucht vanaf Fort Worth. Air Force One volgde om 11.40 uur. Aan boord waren Kennedy met zijn vrouw, de gouverneur van Texas John Connally met zijn vrouw en senator Ralph Yarborough.

Op de luchthaven stond een kleine menigte bestaande uit journalisten en politieke medestanders uit Texas. Kennedy begroette belangrijke Texanen die klaar stonden om hem te ontvangen. Hij besteedde ook aandacht aan de aanhangers die achter de hekken van de luchthaven stonden om een glimp op te vangen van de president en de First Lady. Kennedy ging zich twee dagen op Texas richten bij wijze van vroege campagnetrip in de hoop de soms verdeelde Democraten van de staat met de eenzame ster op één lijn te krijgen met zijn herverkiezing als doel.

De aanwezigheid van Jackie Kennedy was zorgvuldig overwogen. Mevrouw Kennedy was in Amerika een icoon geworden en bijna even beroemd als haar echtgenoot. De adviseurs van de president wilden een langzaam rijdende autocolonne door de drie grootste Texaanse steden laten trekken, deels om de kiezers een blik te gunnen op de elegante koningin van Amerika.

De Kennedy's vertrokken op donderdagochtend 21 november uit Washington en vlogen naar San Antonio. Daar werden ze opgewacht door gouverneur Connally en vice-president Johnson die zich bij de president voegden in de autorit naar het centrum.

Die middag vloog de president naar Houston waar een andere autocolonne klaarstond. Hij sprak een grote menigte toe in het Rice University Stadium en woonde toen een politiek diner in Houston bij.

Donderdagavond laat vlogen de Kennedy's naar Fort Worth waar ze de nacht doorbrachten in het Texas Hotel. Vrijdagochtend ontbeet Kennedy in het hotel en sprak buiten een menigte toe, voordat hij naar Dallas vertrok.

Hij moet zich weinig op zijn gemak hebben gevoeld na de twee autoritten op donderdag. In het hotel hadden de Kennedy's en Kenneth O'Donnell, bijzonder assistent van de president, een veelzeggend gesprek over de mogelijke gevaren van autocolonnes.

O'Donnell zou de Commissie Warren vertellen dat de president zei: *'Als iemand werkelijk de president van de*

Verenigde Staten zou willen neerschieten, dan is dat niet al te moeilijk. Hij hoeft alleen maar met een geweer met telescoopvizier een hoog gebouw op te zoeken en niemand zou ook maar iets kunnen doen tegen zo'n aanslag.'

Tien minuten na de landing van het presidentiële vliegtuig vertrok de autocolonne van het vliegveld. Het schema hield rekening met vijfenveertig minuten voor de rit van zestien kilometer van Love Field naar de Trade Mart. De route van de stoet was in de week voor Kennedy's bezoek uitgebreid gepubliceerd. De politieke campagneleiders van de president hoopten op een enorm vertoon van steun. Daarom was hij tenslotte naar Texas afgereisd.

De colonne verliet het vliegveld en reed over Main Street naar de hoge gebouwen in het centrum van Dallas, waar duizenden kantooremployés vrij zouden zijn als de stoet tijdens het lunchuur voorbijkwam. Onderzoekers van de Commissie Warren bevestigden dat de route was gekozen voor een maximale 'participatie' van de burgers.

En dat lukte. De mensen stonden rijen dik langs de route. Politiemensen hadden alle viaducten bezet en iedereen verwijderd die er niets te maken had. Maar de menigte doorzoeken of de gebouwen langs de route controleren op booswichten was onmogelijk.

Het konvooi zoefde met een snelheid van veertig tot vijftig kilometer per uur door de minder dicht bevolkte buitenwijken van Dallas over Main Street. Maar zelfs daar stonden mensen te wachten om de Kennedy's te zien en de colonne ging richting het centrum langzamer rijden.

In de eerste auto van het konvooi die de 'pilot car' werd genoemd, zaten politieagenten uit Dallas. Deze bleef een halve kilometer voor de politieke stoet rijden en moest het doorgeven als er problemen leken te dreigen.

Vervolgens kwamen zes motorrijders, dan de 'kopauto', een onopvallende politieauto met commissaris van politie Jesse Curry achter het stuur en als passagiers Sheriff J.E. Dekker van het district Dallas en geheimagenten Forrest Sorrels van het Witte Huis en Winston Lawson, hoofd van de afdeling Dallas van de FBI.

Uit het rapport van de Commissie Warren: '*De inzittenden bekeken de menigte en de gebouwen langs de route. Hun voornaamste taak was om problemen op voorhand op te merken en de noodzakelijke stappen te nemen om die problemen aan te pakken. Volgens de normale gang van zaken reed de kopauto ongeveer vier of vijf wagenlengtes voor de limousine van de president.*'

De presidentiële auto, een speciaal ontworpen Lincoln Continental uit 1961 met open dak, was uitgerust met een futuristische plastic bol die de inzittenden kon beschermen tegen regen, terwijl de mensen langs de route een goed zicht hadden op hun doortastende president en zijn lieftallige vrouw. Maar het weer was goed, dus was de bol verwijderd. Het plastic was trouwens toch niet kogelvrij.

Kennedy zat rechts op de achterbank en zijn vrouw links. John en Nellie Connally zaten voor hen op klapstoelen, Nellie aan de linkerkant. Geheimagent William Greer reed de auto en agent Roy Kellerman, hoofd van het detachement van het Witte Huis, zat als bewaking voorin. De limousine was uitgerust met treeplanken, waardoor agenten naast de president konden meerijden, maar Kennedy gunde de burgers tijdens autocolonnes liever een onbelemmerd zicht.

Nog vier motoren reden aan weerszijden van de presidentiële auto om de menigte weg te houden. Weer had Kennedy gevraagd om de motors wat verder naar achteren te laten rijden zodat de mensen hem goed konden zien.

Achter de presidentiële limousine reed een Cadillac uit 1955 met acht gewapende agenten – vier in de auto, vier op de treeplanken. O'Donnell en een andere assistent zaten ook in die auto. De agenten op de treeplanken hadden de opdracht naar de presidentiële auto te rennen als die stopte of stapvoets ging rijden.

De volgende in de rij was de auto van de vice-president, een vierdeurs open Lincoln met de Johnsons, senator Yarborough en een geheim agent. Een agent van de Texaanse verkeerspolitie reed. Achter de Lincoln van Johnson reed een auto met een politieagent uit Dallas achter het stuur, nog drie agenten en Clifton Garter, assistent van Johnson. En deze werd gevolgd door de rest van de autocolonne waaronder vijf auto's met de burgemeester van Dallas en andere Texaanse politici; de arts van de president, admiraal George Burkley; telefoonwagens en auto's van Western Union; een communicatie-auto van het Witte Huis; drie auto's met persfotografen; een bus voor personeel van het Witte Huis en twee bussen met pers. Een politieauto uit Dallas en nog eens drie motoren vormden de achterhoede.

In het centrum van Dallas vertraagde de stoet tot vijftien kilometer per uur, terwijl de Kennedy's en Connally's naar de menigte van naar schatting een kwart miljoen mensen langs de route glimlachten en wuifden. Bij Houston Street sloeg de colonne rechtsaf en verliet Main Street, vervolgens linksaf Elm Street op en dan de kortste weg over Dealey Plaza naar de Stemmons Freeway voor het laatste gedeelte van de rit.

Op de hoek van Houston en Elm Street stond een gebouw van zeven verdiepingen dat was verhuurd aan de Texas School Book Depository als verdeelcentrum voor schoolboeken in het zuidwesten.

Toen de autocolonne richting boekenmagazijn reed, draaide Nellie Connally zich om en maakte een opmerking over de ontvangst die de Kennedy's kregen.

De vrouw van de gouverneur zei: *'Meneer de president, u kunt niet zeggen dat Dallas niet van u houdt.'*

Kennedy antwoordde: *'Dat is heel duidelijk.'*

Het waren de laatste woorden van John Kennedy.

De schoten

De stoet was een paar minuten te laat. Zoals gebruikelijk had Kennedy zijn limousine twee keer laten stoppen – één keer toen hij een man zag met een bord waarop hij de president uitnodigde zijn hand te schudden en een tweede maal om een katholieke non en een groep schoolkinderen te begroeten.

De grote menigte in het centrum had de autocolonne ook vertraagd. De presidentiële auto kroop met een snelheid van achttien kilometer per uur langs de Texas School Book Depository om precies 12.30 uur, het tijdstip waarop de president op de Trade Mart had moeten zijn.

Geweerschoten klonken.

Eén kogel ging volgens de Commissie Warren door de hals van de president. Een tweede, dodelijke kogel verbrijzelde de rechterkant van zijn schedel. Connally werd gewond aan zijn rug, de rechterkant van zijn borst, rechterpols en linkerdij.

Geheimagenten renden naar de limousine.

Jackie Kennedy gilde: *'O, mijn God, ze hebben mijn man neergeschoten. Ik houd van je Jack.'*

In de auto van de president nam Agent Kellerman radiocontact op met commissaris Curry die met hoge snelheid voorop reed naar het zesenhalve kilometer verderop gelegen Parkland Hospital.

Uiteraard was de president niet te redden. Dertig minuten nadat de schoten waren gevallen, werd hij dood verklaard. Connally werd meteen geopereerd; hij zou het overleven.

Tegen kwart over twee 's middags werd Kennedy's lichaam in een kist in de Air Force One geladen voor de terugvlucht naar Washington.

Maar de start werd uitgesteld, terwijl assistenten een dringende ceremonie regelden om de continuïteit van de regering te waarborgen.

Federale rechter Sarah Hughes, die in 1961 door Kennedy als eerste vrouwelijke rechter was benoemd aan het districtshof van Texas, haastte zich naar Love Field.

Om 14.38 uur, vlak voordat het vliegtuig naar Washington vertrok, nam Hughes Lyndon Johnson de eed af als zesendertigste president. Tijdens de korte, plechtige ceremonie was hij in gezelschap van zijn vrouw en mevrouw Kennedy.

Rechter Hughes zei later: *'Ik vond dat zij (Jackie Kennedy) een opmerkelijke beheersing toonde. Ze huilde niet. Ze zei geen woord. Haar houding was voorbeeldig. Haar moed was voorbeeldig.'*

De arrestatie

Vrijwel meteen na de moord hadden verschillende getuigen het gebouw van het boekenmagazijn aangewezen als de plaats vanwaar was geschoten.

Eén getuige, Howard Brennan, zei dat hij verschillende keren een man achter een raam van het gebouw had gezien vlak voordat de colonne voorbijkwam. Brennan zei dat hij na het horen van het eerste schot omhoog keek en dezelfde man een geweer zag afvuren, waarna die verdween. Op grond van Brennans verklaring zond de politie om kwart voor één 's middags een signalement uit: blanke man, slank, vijfenzeventig kilo, bijna één meter tachtig.

Politieagenten stroomden het gebouw binnen en bij een raam op de vijfde verdieping vonden ze drie hulzen en een grendelgeweer met een telescoopvizier.

Om kwart over één 's middags zag agent J.D. Tippit van de politie van Dallas een man in de buurt van de kruising van 10th en Patton Street, een paar kilometer van de plaats van de moord, die aan het signalement van de verdachte voldeed. Tippit riep de man naar zijn patrouilleauto. Na een kort gesprek door het raam stapte de agent uit, blijkbaar om de man verder te ondervragen.

De man trok een pistool en vuurde vier schoten af die Tippit raakten en doodden.

Een tiental mensen was getuige van het schieten. Iemand belde de politie en hoofden werden omgedraaid naar radioauto's die met loeiende sirene naar de plaats van misdaad raasden.

Door het nieuws over het neerschieten van de president waren de bewoners van Dallas extra op hun hoede en verscheidene mensen zagen een verdachte man acht blokken van het schietincident een deuropening in duiken toen de politieauto's voorbijkwamen.

Eén van die getuigen was Johnny Brewer, bedrijfsleider van een schoenenwinkel, die de man het Texas Theater zag binnengaan. *'Ik vond het er vreemd uitzien,'* verklaarde Brewer tegenover de Commissie Warren. *'Zijn haar zat in de war alsof hij hard had gelopen en hij zag er angstig en vreemd uit.'*

Brewer sprak met Julia Postal die achter het loket van het theater zat. Hij zei tegen haar: *'Ik weet niet of dit de man is die ze willen hebben... maar hij moet een reden hebben om weg te rennen.'*

Postal belde de politie.

Ruim tien agenten kwamen bij het theater samen. Ze gaven opdracht het licht in de zaal aan te doen en Brewer wees de verdachte figuur aan. Toen de agenten naar binnen kwamen, zwaaide de man met zijn pistool, maar voordat hij een schot kon afvuren, werd hij overmeesterd, hoewel sommige agenten zeiden dat de ze 'klik' van een ketsschot hoorden.

Ooggetuige Brewer zei dat er vuisten zwaaiden toen de verdachte werd gearresteerd. Hij hoorde een agent zeggen: *'De president vermoorden, hè?'* Een agent zei later dat de verdachte *'een beetje vloekte en schreeuwde vanwege het politiegeweld.'* De verdachte was vierentwintig jaar, één meter vijfenzeventig en achtenzestig kilo. Zijn naam was Lee Harvey Oswald. De mislukte veteraan van de mariniers die was geboren in de New Orleans was zes weken eerder voor $ 1,25 per uur bij het Texas School Book Depository aangenomen om bestellingen uit te voeren. Onderweg naar het bureau vroeg Oswald steeds weer: *'Waarom wordt ik gearresteerd?'*

Een moord live op tv

Oswald werd naar het politie- en gerechtsgebouw van Dallas gebracht. Die avond kwam om tien over zeven een politierechter langs om Oswald aan te klagen voor de moord op politieagent Tippit. Zes uur later, om half twee 's nachts op 23 november, werd hij door dezelfde rechter aangeklaagd voor de moord op Kennedy.

Oswald werd in de twee dagen die volgden op zijn arrestatie in totaal bijna twaalf uur verhoord op het hoofdbureau van politie in Dallas. Hoofdinspecteur J.W. Fritz van de afdeling moordzaken van de Politie van Dallas nam het merendeel van de verhoren af.

Vaak waren agenten van de FBI en de geheime dienst aanwezig en soms stelden ze Oswald vragen.

De Commissie Warren zei: *'Gedurende dit verhoor ontkende hij iets te maken te hebben met de moord op president Kennedy of het doodschieten van agent Tippit.'*

Niettemin was er een overstelpende hoeveelheid bewijs tegen Oswald:

De Smith & Wesson .38 waarmee Tippet was gedood, werd Oswald ontnomen tijdens zijn arrestatie.

Negen getuigen wezen Oswald aan als de moordenaar van de agent – zes in persoon, drie van een foto.

Hij had toegang tot de vijfde verdieping van het boekenmagazijn en getuigen zagen hem daar voorafgaand aan de schoten op Kennedy.

Forensisch bewijsmateriaal toonde aan dat hij bij het raam was geweest waar de patroonhulzen werden aangetroffen en de afdruk van zijn palm en vezels van zijn kleding werden gevonden op het geweer dat was gebruikt voor het neerschieten van Kennedy en Connally. (De zuiverheid van dit bewijsmateriaal heeft aanleiding gegeven tot veel discussie.) Het geweer was gekocht door iemand die A. Hidell zou heten, een schuilnaam die Lee Oswald vaker had gebruikt. Detectives vonden twee foto's waarop Oswald het geweer en het pistool vasthield.

Op zondag 24 november om ongeveer elf uur 's ochtends zou Oswald van het politie- en gerechtsgebouw worden overgebracht naar het huis van bewaring van Dallas – een normale procedure zodra een verdachte was aangeklaagd voor misdrijf.

Maar de overplaatsing was zeker geen routinewerk. Er waren telefonisch anonieme bedreigingen binnengekomen bij de autoriteiten en FBI-directeur J. Edgar Hoover zei later dat hij hoofdcommissaris Curry een boodschap had gestuurd met het verzoek Oswald *'met de grootst mogelijke beveiliging te omgeven'*.

Curry zou verklaren dat hij de boodschap nooit had gekregen. Toch was het de politie van Dalles duidelijk dat Oswald mogelijk gevaar liep. Hij zou namelijk worden overgebracht in een gepantserde vrachtwagen.

Curry besloot van het overbrengen van Oswald een mediaspektakel te maken door in de kelder van het hoofdbureau gelegenheid te geven tot het maken van foto's. Hij deelde aan verslaggevers mee dat het overbrengen zou plaatsvinden op zondag 24 november na tien uur 's ochtends.

Veertien agenten ontruimden de kelder om negen uur van iedereen behalve personeel. Wachtposten werden bij de zes deuren naar de kelder geplaatst en bovenaan de twee opritten die de kelder met hoger gelegen straten verbonden.

Nadat de kelder veilig was, lieten agenten de journalisten weer binnen. De schrijvende en fotograferende pers werd tegenover de deur opgesteld waardoor Oswald en zijn begeleiders naar buiten zouden komen. Agenten in uniform en rechercheurs in burger stroomden ook de kelder in om een glimp op te vangen van de aangeklaagde moordenaar.

Rond twintig over elf stonden naar schatting 50 verslaggevers en vijfenzeventig politiemensen op Oswald te wachten. Live op televisie kwam Oswald omgeven door politiemensen door de deur. Nadat hij misschien drie meter had afgelegd, deed een forse man tussen de verslaggevers aan de rand van de menigte enkele stappen naar voren. Hij stak zijn rechterhand uit waarin hij een Colt .38 kaliber revolver vasthield en vuurde *een enkele fatale kogel af in de buik van Oswald,* zoals het in het rapport van de Commissie Warren staat.

De man werd al gauw geïdentificeerd als Jack Ruby, een nachtclubeigenaar uit Dallas die veel vrienden had bij de gemeentelijke politie. Maar hij verklaarde dat hij niet door een bevriende politieman was ingelicht over de overplaatsing of was binnengelaten. Hij zei dat hij gewoon vanaf Main Street over de oprit naar binnen was gelopen. Zoals in het Warren rapport staat: *'De politie van Dallas die zich aangesproken voelde door het beveiligingsfiasco, stelde een uitgebreid onderzoek in waaruit niets bleek van enige medeplichtigheid van een politieman. Jack Ruby ontkende tegenover de Commissie dat hij enige vorm van hulp had ontvangen.'*

Nader onderzoek zou onthullen dat Ruby eigenlijk

geen hulp van een politieman nodig had. Hij was gewoon het hoofdbureau binnengelopen. De Commissie Warren stelde vast dat Ruby, die bekend stond om zijn impulsiviteit, op de avond van de moord op Kennedy zijn nachtclub sloot en een herdenkingsdienst bijwoonde in zijn synagoge in Dallas. Hij wilde op de een of andere manier een bijdrage leveren aan het onderzoek en stopte bij een cafetaria om broodjes en frisdrank voor politieagenten te kopen.

Vervolgens ging hij naar het hoofdbureau waar hij het voedsel achterliet in zijn auto en met twee verslaggever het gebouw binnenliep. Met een lift ging hij naar de perskamer op de tweede verdieping, in dezelfde gang waar Oswald aan de tand werd gevoeld.

Hoewel hij geen perskaart had, vertelde Ruby tegen iedereen die ernaar vroeg dat hij een tolk was voor de Israëlische media. De film van een persconferentie vrijdagavond laat waarop Oswald aan de media werd gepresenteerd, toonde Ruby die aan een tafel naast verslaggevers stond.

Een rechercheur uit Dallas, Augustus Eberhardt, herinnerde zich kort te hebben gesproken met Ruby, die opmerkte dat het *'nauwelijks was te beseffen dat zo'n nietsnut, een complete nul, een man als president Kennedy kon doden'*.

Na de persconferentie klampte Ruby officier van justitie Henry Wade en politierechter David Johnson aan, die de aanklacht tegen Oswald hadden opgesteld. Hij stelde zich voor als een nachtclubeigenaar en hielp later bij het regelen van een radio-interview met Wade voor KLIF-radio in Dallas.

Ruby reed naar de KLIF-studio, verdeelde zijn broodjes

onder de medewerkers en bleef er een paar uur rond-hangen. Later ging hij langs bij het gebouw van de Dallas Times-Herald waar hij verschillende mensen van de zetterij vertelde dat hij Oswald – 'een onderkruiper-tje,' zoals hij het uitdrukte – op de persconferentie had gezien.

Op zondagochtend 24 november ging Ruby vlak voor het transport van Oswald naar het centrum van Dallas. Hij parkeerde zijn auto in de buurt van het hoofdbureau en opende de kofferbak waarin hij zijn portemonnee en contactsleuteltjes legde. Vervolgens stopte hij de revolver die normaal in een geldzak van de bank zat in de zak van zijn colbert.

Hij liep een straat verder naar een kantoor van de Western Union en maakte telegrafisch vijfentwintig dollar over naar een danseres uit zijn nachtclub die vastzat in Fort Worth. Ruby beweerde dat hij drukte zag bij het hoofdbureau en erheen liep om te kijken wat er aan de hand was.

Misschien was zijn timing een gefundeerde schatting. Waarschijnlijker was dat hij informatie had gekregen over het tijdstip waarop de verdachte zou worden over-gebracht; sommigen hebben verklaard dat de informant zijn kameraad W.J. 'Blackie' Harrison was, een politie-agent uit Dallas. Hoe dan ook, hij slaagde er kennelijk in om een oprit af te lopen naar de kelder van het politie-gebouw waar hij Oswald neerschoot. Hij gaf verschillende verklaringen voor zijn daad:

Hij wilde een held zijn.

Hij wilde bewijzen dat 'joden lef hebben'.

Hij wilde Jackie Kennedy het verdriet besparen om te moeten terugkeren naar Dallas voor het proces tegen

Oswald.

Hij vertelde tegen de Commissie Warren dat hij werd overweldigd door *'het emotionele gevoel... dat iemand het onze geliefde president verschuldigd was dat haar de ellende van een terugkeer bespaard bleef. Ik weet niet waarom dat bij me opkwam.'* Ruby bezwoer dat hij geen deel uitmaakte van een complot om Oswald het zwijgen op te leggen.

Ruby werd aangeklaagd voor moord en stond in februari en maart 1964 terecht. Zijn advocaat, Melvin Belli, voerde ontoerekeningsvatbaarheid aan, maar de jury veroordeelde Ruby ter dood. Ruby won een beroep op grond van billijkheid, omdat hem een verwijzing naar een ander gerechtshof was geweigerd. Een Texaanse rechtbank gelastte een nieuw proces, maar voordat het kon worden gehouden, stierf Ruby op 3 januari 1967 aan kanker.

Is recht gedaan?

Hoewel de meeste Amerikanen, nog verdoofd door de moord, met open mond op de tv zagen hoe Oswald werd neergeschoten, vonden sommigen dat Ruby het land een gunst had bewezen, omdat Amerika een theatraal proces bespaard bleef.

In de visie van de politie van Dallas hadden ze met Lee Oswald hun man hoe dan ook toch te pakken gehad. Hoofdinspecteur Fritz, de belangrijkste ondervrager van de verdachte, vertelde journalisten de dag na de moord op Kennedy dat de zaak tegen Oswald 'rond' was. Commissaris Curry voegde daaraan toe: *'We zijn zeker van onze zaak.'* Vervolgens legde hij zeer prematuur een verklaring af over bewijzen tegen de verdachte.

Toch had het proces in een fiasco kunnen eindigen. Een maand na de moord op Oswald zei de Amerikaanse bond van advocaten: *'De algemene publicatie van Oswalds vermeende schuld met verklaringen van functionarissen en openbaarmaking van de details van het "bewijsmateriaal" zouden het bijzonder moeilijk hebben gemaakt om een onbevooroordeelde jury samen te stellen en de beklaagde een eerlijk proces te geven.'*

Kennelijk had hij tijdens de lange uren van zijn verhoor om juridische bijstand gevraagd, maar was hem die geweigerd en waren er geen aantekeningen gemaakt van zijn verklaringen tijdens het verhoor. Afgezien van formeel juridische aangelegenheden als een eerlijk proces kwam de Commissie Warren tot de slotsom dat de politie van Dallas inderdaad de juiste man had opgepakt.

Het rapport verklaarde: *'Op basis van het bewijsmateriaal... heeft de commissie vastgesteld dat Lee Harvey Oswald 1) daadwerkelijk het geweer bezat waarmee president Kennedy werd gedood en gouverneur Connally gewond, 2) dit geweer op de ochtend van de moord het gebouw van het magazijn binnenbracht, 3) op het moment van de moord aanwezig was bij het raam van waaruit de schoten werden afgevuurd, 4) agent J.D. Tippit van de politie van Dallas doodde bij een evidente ontsnappingspoging, 5) zich verzette tegen zijn arrestatie door een volledig geladen pistool te trekken en te proberen een andere politieagent neer te schieten, 6) na zijn arrestatie tegen de politie loog over belangrijke onderwerpen ter zake (en) vertrouwd was met een vuurwapen wat hem in staat zou hebben gesteld een moord te plegen. Op basis van deze*

*bevindingen is de commissie tot de conclusie gekomen
dat Lee Harvey Oswald de moordenaar van president
Kennedy was.'*

Lee Harvey Oswald

Nog afgezien van zijn rol als politiek moordenaar, heeft
Lee Harvey Oswald vierentwintig jaar lang ongetwijfeld een minder gebruikelijk leven geleid. De eerste vijftien jaar vergezelde hij zijn rondzwervende moeder; als
zestienjarige raakte hij geboeid door het communisme;
in het tweede jaar van de high school stopte hij met zijn
studie; met zeventien jaar ging hij in dienst bij de mariniers; hij leerde zichzelf enig Russisch; hij werd vervroegd
uit de militaire dienst ontslagen; op twintigjarige leeftijd
emigreerde hij naar Rusland en probeerde afstand te doen
van zijn Amerikaans staatsburgerschap; hij trouwde met
een Russische vrouw en samen kregen ze een dochter;
Toen hij genoeg had van zijn baan in een sovjet fabriek,
keerde hij terug naar de VS; hij probeerde een omstreden
generaal neer te schieten; hij sloot zich aan bij de pro-
Castro-beweging.

Oswald ging door het leven met een sluimerend gevoel
van woede. Met een moeilijk leven voor zich werd hij op
18 oktober 1938 in New Orleans geboren. Zijn moeder
Marguerite was zeven maanden zwanger van Lee, toen
haar man Robert aan een hartaanval stierf. Lee en zijn
twee broers – de oudste een halfbroer uit een kortdurend
eerste huwelijk van zijn moeder – brachten als kind de
meeste tijd door in weeshuizen, omdat mevrouw Oswald
hen niet kon onderhouden.

Het gezin verhuisde in het midden van de jaren veertig van de twintigste eeuw naar Dallas en vervolgens naar Fort Worth, toen mevrouw een nieuwe liefde ontmoette en trouwde met de elektricien Edwin Ekdahl. Maar het huwelijk liep al gauw stuk.

Na de scheiding woonde Lee tijdens zijn vormende jaren met Marguerite op verschillende plaatsen in Dallas. Hij ging naar school, maar was geen uitblinker en had vooral moeite met rekenen en spelling. Uit het rapport van Commissie Warren: *'Lee kan tijdens deze jaren over het algemeen worden omschreven als een gewone maar nogal eenzame jongen.'* Buren uit zijn jeugd zouden hem later in weinig vleiende woorden en zinnen omschrijven: 'stoute jonge', 'snel kwaad', 'gemeen'.

Op de leeftijd van dertien jaar verhuisde Lee met zijn moeder naar New York om in de buurt van familie te gaan wonen, maar zijn gedrag werd alsmaar erger. Hij spijbelde voortdurend en het kostte zijn moeder steeds meer moeite om hem onder de duim te houden. Na verzoeken om hulp van Marguerite moest de jonge Oswald worden getest in een jeugdgevangenis. Het personeel gaf te kennen *'dat Lee een teruggetrokken, sociaal slecht aangepaste jongen was met een moeder die onvoldoende belang stelde in zijn welzijn en die geen intieme relatie met hem kon opbouwen,'* staat in het Warren rapport.

In 1954 keerden Lee en zijn moeder terug naar New Orleans, waar hij een jaar lang regelmatiger de lessen bijwoonde, maar toen vlak voor zijn zestiende verjaardag definitief van school ging. De twee verhuisden weer naar Fort Worth, terwijl Lee wachtte tot zijn zeventiende verjaardag, omdat hij zich dan wilde aanmelden bij het marinierskorps.

Op 3 oktober 1956, een paar weken voor die verjaardag, schreef hij een brief aan de socialistische partij van Amerika naar aanleiding van een coupon die hij uit een tijdschrift had geknipt:

Geachte heren:
Ik ben zestien jaar oud en zou graag meer informatie hebben over uw jeugdbond, ik zou willen weten of er een afdeling in mijn omgeving is, hoe ik me kan aansluiten, enz., ik ben een marxist en heb ruim vijftien maanden de socialistische beginselen bestudeerd ik stel belang in uw bond voor jonge socialisten.

Hoogachtend
Lee Oswald

Drie weken later nam hij dienst bij de mariniers. Oswald slaagde tijdens de basistraining als geweerschutter voor de kwalificatie 'scherpschutter' en hij bracht een groot deel van zijn diensttijd door aan boord van schepen in het verre oosten. Hij maakte bij de andere mariniers naam als een rare snuiter en ze gaven hem de bijnaam 'Oswaldskovich' vanwege zijn fascinatie voor Rusland.

Oswald studeerde Russisch, las Russische literatuur en draaide platen met Russische muziek in de kazerne. Vaak reageerde hij met *da* of *njet* in plaats van ja of nee en volgens Oswalds biografie van de Commissie Warren die zo dik was als een boek, sprak hij andere mariniers aan met 'kameraad'.

Soms discussieerde hij met zijn maten over de morele superioriteit van het marxisme en communisme dat hij 'het beste systeem ter wereld', volgens een marinier die Oswald kende, noemde. Ook vertelde hij zijn maten dat hij de Cubaanse leider Fidel Castro steunde. Hij stak zijn neus in boeken die over politieke ideologie gingen: *Das Kapital*, *Animal Farm* en *1984*.

Oswald werd in september 1959 uit de dienst ontslagen. Binnen een maand reisde hij per boot naar Frankrijk, vloog naar Helsinki en kwam Rusland op een toeristenvisum binnen. Een paar dagen later, op zijn twintigste verjaardag, begon hij elke Rus die wilde luisteren te vertellen dat hij wilde overlopen.

Hij geloofde kennelijk dat dit een grootse internationale gebeurtenis zou zijn. Hij maakte van het overlopen aantekeningen in een ringband die hij de titel 'Historisch Dagboek' meegaf.

Maar Rusland wilde hem aanvankelijk niet hebben en Oswald reageerde met het doorsnijden van een pols in een kennelijke zelfmoordpoging. De Russische regering gaf toen bevel hem op te nemen in een psychiatrisch ziekenhuis. Toen bleek dat de jonge man het meende, kwam Rusland daarop terug en na een reeks gesprekken met Amerikaanse en Russische functionarissen mocht hij overlopen.

Marguerite kwam erachter dat haar zoon in Rusland zat toen ze in een krant in Fort Worth las dat hij was overgelopen. Een paar weken na zijn aankomst in Rusland gaf Oswald een interview aan de Amerikaanse verslaggever Aline Mosby van United Press International. Hij zei dat Amerika een natie was van de rijken en de armen, terwijl de 'marxistische ideologie' in dezelfde mate voor alle burgers zorgde. Hij vertelde Mosby dat hij als vijftienjarige kennis had gemaakt met de communistische politieke theorie, toen hij in New York woonde en een vrouw hem een pamflet in de hand had gedrukt over de zaak van Julius en Ethel Rosenberg, die waren geëxecuteerd nadat ze terecht hadden gestaan voor spionage in oorlogstijd.

Het is niet duidelijk wat voor leven Oswald in Rusland verwachtte te leiden, maar hij werd snel teleurgesteld. Hij werd naar Misk gestuurd, 725 kilometer ten zuidwesten van Moskou, waar hij een fabrieksbaan kreeg. Een jaar later, in januari 1961, schreef hij met zijn kenmerkende spelfouten in zijn dagboek: '*I am starting to reconsider my desire about staying. The work is drab. The money I get has nowhere to be spent. No nightclubs or bowling allys, no places of recreation acept the trade union dances. I have had enough.*' ('*Ik begin anders te denken over mijn wens te blijven. Het werk is saai. Het geld dat ik krijg kan nergens worden uitgegeven. Geen nachtclubs of bowlingbanen, geen ontspanningsgelegenheden behalve de dansavonden van de vakbond. Ik heb er genoeg van.*')

Hij besteedde het volgende jaar aan verzoeken richting Russische en Amerikaanse overheden om ervoor te zorgen dat hij kon terugkeren naar de Verenigde Staten. Hij schreef verontwaardigde brieven aan Amerikaanse autoriteiten, onder wie senator John Tower van Texas, die de senator ertoe brachten '*de zaak aan de orde te stellen van een burger van de V.S. die tegen zijn zin en uitdrukkelijke verlangen werd vastgehouden door de Sovjet Unie*'.

Opmerkelijk genoeg schreef hij ook een verzoek om hulp aan gouverneur John Connally van Texas, dezelfde man die hij in de autocolonne van Kennedy zou neerschieten.

Intussen werd Oswald in maart 1961 verliefd op de Russische Marina Prusakova en slechts enkele weken later trouwden ze. In februari 1962 beviel ze van hun dochter June. Vier maanden later gaven de Amerikaanse en Russische regeringen eindelijk toe en mocht Oswald met zijn gezin vertrekken. Ze reisden per schip van Europa naar New York en vlogen vervolgens op 14 juni 1962 naar Fort Worth. Maar de terugkeer naar zijn geboorteland bracht weinig verandering in Oswalds lusteloosheid en verbittering. FBI-agenten die hem ondervroegen over zijn tijd in Rusland beschreven hem als 'arrogant' en 'lomp'.

Hij probeerde werk te vinden, maar een vaste baan lukte niet en hij modderde wat met een 'manuscript' over zijn flirt met de Sovjet ideologie.

Zijn huwelijk werd steeds stormachtiger en hij begon Marina te slaan. Het paar ging een poosje om met uitgeweken Russen in Dallas, maar Oswald werd al gauw gemeden vanwege zijn anti-Amerikaanse gevit, zijn egocentrische houding en de manier waarop hij zijn vrouw behandelde.

Na een aantal scheidingen en verzoeningen werd Marina, die van haar echtgenoot geen Engels had mogen leren, opgenomen door een stel vrienden.

Intussen verdiepte Oswald zich steeds meer in politieke ideologie. Hij abonneerde zich op Sovjet tijdschriften en correspondeerde met de Communist Party USA en de Socialist Workers Party.

In begin 1963 kocht Oswald onder de naam Alek Hidell een pistool en een geweer bij een postorderbedrijf. Op 10 april vuurde iemand in Dalles een geweerschot af dat net het hoofd van Edwin Walker, een beruchte anticommunist, miste. Walker had in 1961 ontslag genomen uit het leger na beschuldigingen van het indoctrineren van soldaten met literatuur van de rechtse John Birch

Society.

De schietpartij bleef onopgelost tot Oswald werd gearresteerd en rechercheurs een briefje voor Marina vonden met een uitleg in het Russisch wat ze moest doen als hij werd gearresteerd. De Commissie Warren verklaarde dat Oswald het schot op Walker afvuurde, hoewel velen die conclusie in twijfel trekken.

Enkele dagen na de aanslag op Walker reisde Oswald per bus naar New Orleans, omdat hij kennelijk werk hoopte te vinden in zijn geboortestad. Hij huurde een appartement en liet zijn vrouw en dochter overkomen, nadat hij een baan voor $ 1,50 per uur had gevonden bij een koffiebranderij. Zoals gebruikelijk was hij zijn baan snel kwijt en begon hij een wekelijkse werkeloosheidsuitkering van de overheid te innen.

Hij vond een nieuwe zaak om zijn vrije tijd aan te wijden: de pro-Castro commissie Fair Play voor Cuba. Oswald vroeg en kreeg een nieuw paspoort in de hoop naar Cuba te reizen om Castro te ontmoeten en zich bij zijn revolutie aan te sluiten.

Hij zette in New Orleans een onofficiële afdeling op van Fair Play en bracht een nacht in de cel door na een ruzie op straat met Cubaanse anti-Castro ballingen. Hij verscheen op de tv en in een radionieuwsuitzending vanwege het uitdelen van pro-Castro folders. Ook schreef hij een aantal brieven waarin hij zijn werk onder de aandacht bracht voor de zaak voor de nationale Fair Play organisatie en de Communist Party USA.

Eind september reed Oswald met de bus van New Orleans naar Houston en naar het verder westelijk gelegen Laredo. Vervolgens stak hij de grens met Mexico over en zat twintig uur in de bus naar Mexico City.

Zodra hij daar was, probeerde Oswald toestemming te krijgen om naar Cuba te reizen. Maar zijn Amerikaanse paspoort was niet geldig voor reizen naar dat land, dus kwam hij voor de zoveelste keer in het geweer tegen de overheden. Regelmatig bracht hij bezoeken aan de Amerikaanse, Cubaanse en Russische ambassades om een visum voor Cuba te krijgen. Telkens werd het afgewezen.

Op 3 oktober keerde hij ontmoedigd naar de Verenigde Staten terug en ging naar Dallas. Hij was vreselijk teleurgesteld door zijn mislukte odyssee naar Cuba, zei zijn vrouw. Volgens de Commissie Warren schreef hij een scherpe brief naar de Sovjet ambassade in Washington over 'een grove schending van de regels' door de Cubaanse ambassade in Mexico City.

In Dallas volhardde Oswald in zijn opruiende bezigheden. Hij woonde een John Birch vergadering bij om zich te oriënteren en ging toen naar een bijeenkomst van de American Civil Liberties Union (Unie van Amerikaanse burgervrijheden) waarbij hij verslag deed van wat hij op de Birch vergadering had gehoord.

Hij woonde gescheiden van Marina in een reeks goedkope kamers – de laatste voor $ 8 per week in N. Beckley Avenue 1026, waar hij zich inschreef onder de naam O.H. Lee. Een vriend van het gezin vertelde dat hij bij zijn terugkeer naar Dallas niet alleen ontmoedigd was door zijn mislukte reis naar Cuba. Marina was zwanger en hij was niet in staat één kind te onderhouden, laat staan twee.

Eén baan kreeg hij niet als gevolg van een slechte referentie en toen nam hij op 15 oktober een andere baan voor ongeschoold werk aan in het Texas School

Book Depository waarop een vriend hem had gewezen. Hij kreeg werk in de dagdienst en zat het grootste deel van de tijd op de vijfde verdieping waar een raam hem nog geen zes weken later tijdens het passeren van de auto-colonne van president Kennedy een prima uitzicht bood op Dealey Plaza.

Jack Ruby

Het rapport van de Commissie Warren bevatte een vijftienduizend woorden tellend biografisch portret van Jack Ruby dat opvalt door de details, waarvan sommige heel bijzonder zijn. Een kort gedeelte gaat in op de mogelijkheid dat Ruby homoseksueel was – kennelijk gebaseerd op anonieme 'verklaringen' van bekenden dat hij lispelde onder het praten, 'verwijfd deed' en 'soms een hoge stem had als hij kwaad was'. De speurders van Warren konden achterhalen dat Ruby elf jaar lang een verhouding had gehad met een vrouw. Het rapport komt tot de slotsom: *'Een en ander geeft aan dat Ruby graag genoot van vrouwelijk gezelschap.'*

Een ander gedeelte ging over Ruby's liefde voor honden. Hij bezat verschillende honden en sprak erover als waren ze zijn 'kinderen'. Het rapport gaf aan dat Ruby *'bijzonder kwaad werd als hij getuige was van de mishandeling van een van zijn honden.'*

Jack Ruby werd in 1911 in Chicago geboren als Jacob Rubenstein, een van de acht kinderen van joodse ouders die waren geïmmigreerd vanuit Polen. Zijn moeder was analfabete, zijn vader een zware drinker en lid van de timmerliedenbond, ook al had hij zelden werk. De drank en chronische werkeloosheid van Joseph Rubenstein dreven het paar in 1922 uiteen.

Zoon Jack belandde al gauw in een jeugdinrichting omdat hij spijbelde en thuis niet te handhaven was. Hij bracht, net als verschillende van zijn broers en zussen, enige tijd in pleeggezinnen door. De last van het onderhouden van acht kinderen was te veel voor Jacks moeder Fannie en ze zou later regelmatig worden opgenomen in psychiatrische inrichtingen.

Jack doorliep de tweede klas van de middelbare school en *'belandde toen in Chicago op straat omdat hij voor zichzelf en de andere leden van het gezin moest zorgen,'* zoals het Warren-rapport het verwoordt. Hij verdiende geld met het zwart verkopen van kaartjes voor sportwedstrijden en met sport samenhangende nieuwigheden als vaantjes van de Chicago Cubs.

In 1933 verhuisde Ruby naar Californië om in de crisistijd werk te vinden. Hij verkocht onder andere handicapper tips op twee renbanen, Santa Anita in Los Angeles en Bay Meadows in San Fransisco. Hij werkte ook als kelner en verkocht van deur tot deur abonnementen voor kranten.

Ruby keerde rond 1937 naar Chicago terug en kende daar vier magere jaren voordat hij de Spartan Novelty Co. oprichtte die cederhouten kastjes verkocht met snoep en lotjes. Later verkocht hij een plaquette ter herinnering aan Pearl Harbor en een buste van Franklin Roosevelt.

Een kennis vertelde de rechercheurs van de Commissie Warren dat Ruby *'helemaal maf was als het om patriottisme ging'.* Anderen zeiden dat geld zijn enige motief was.

Hoewel maar één meter vijfenzeventig groot, was Ruby

een forse en fitte kerel van bijna tachtig kilo. Volgens vrienden en familie was hij lichtgeraakt; hij groeide op met de bijnaam 'Sparky' (vonk), omdat zijn woede als een bliksem kon toeslaan. De ergernis die Ruby voelde als honden werden mishandeld, strekte zich ook uit tot andere underdogs. Vaak zocht hij ruzie als joden, zwarten en vrouwen werden belasterd of aangevallen en hij gebruikte zijn vuisten tegen iedereen die zich pro-Nazi of antisemitisch uitliet.

Toch voelde Ruby zich niet geroepen om aan de oorlog mee te doen. Hij probeerde uitstel van militaire dienst te krijgen op basis van zijn leeftijd (30 in 1941) en hij veinsde verminderd gehoor, toen het leeftijdsuitstel werd afgewezen. Hij werd in 1943 opgeroepen voor dienst bij de Army Air Force en bracht drie rustige jaren door op militaire bases in het zuiden.

In 1946 keerde hij terug naar Chicago en zette samen met zijn broers een postorderbedrijf in noviteiten op. (Ze veranderden hun naam legaal van Rubenstein in Ruby, omdat ze bang waren dat sommige Amerikanen geen zaken zouden willen doen met joden.)

De broers kochten Jack Ruby in 1947 uit en hij verhuisde naar Texas om zich met veertienduizend dollar in te kopen bij zijn zus Eva Grant die in Dallas een nachtclub dreef.

Ruby zou zestien jaar lang nachtclubs, bars en striptenten runnen – Silver Spur Club, Ranch House, Vegas Club, Souvereign Club en ten slotte de Carousel Club.

De Carousel was een striptease club met vier strippers in het centrum van Dallas. Ruby dreef de tent met een ijzeren vuist en de meeste medewerkers bleven niet lang.

Hij maakte ruzie over arbeidsvoorwaarden met zijn musici. Hij bakkeleide over lonen met de bond die zijn danseressen vertegenwoordigde. Hij ging in de slag met de regering over zijn manier van boekhouden (uitsluitend contant geld dat meestal in de kofferbak van zijn auto of in zijn broekzak zat) en achterstallige belastingen. En als eigenaar en uitsmijter van de club had hij te maken met lastige klanten.

Tot de vaste klanten behoorden ook enkele tientallen politiemensen uit Dallas, van wie er enkelen voor Ruby werkten en van wie er één met een stripteasedanseres uit de club was getrouwd. De Commissie Warren meldde: *'Ruby had veel meer vrienden bij de politie dan een gemiddelde burger.'*

De vriendschap met politiemensen hield zijn strafblad niet schoon. Voordat hij Oswald neerschoot, werd Ruby acht keer gearresteerd: voor het verstoren van de openbare orde in 1949; voor het dragen van een verborgen wapen in 1953 en 1954; voor het overtreden van de drankwetten van de staat in 1954; voor het toestaan van dansen na het sluitingsuur in 1959 en 1960; voor een lichte mishandeling in 1963; en voor het niet voldoen aan een dagvaarding voor een verkeersovertreding in 1963.

De overheid vervolgde Ruby ook voor achterstallige belastingen waaronder ongeveer vijfduizend dollar aan inkomstenbelasting en veertigduizend dollar aan federale accijnzen die hij niet aan zijn klanten had doorberekend, omdat hij beweerde dat zijn zaken restaurants waren en geen theaters.

Als eigenaar van stripclubs kwam Ruby in contact met veel van de duistere figuren uit de onderwereld van Dallas. Het rapport van de Commissie Warren vermeldde dat hij weliswaar *'bevriend was met talloze onderwereld-figuren'*, maar *'dat er geen bewijzen zijn voor een belang-rijke band tussen Ruby en georganiseerde misdaad'*.

Deze vreemde en nietszeggende zin is een favoriet twistpunt geweest dat aanhangers van de complottheorie tegen de Commissie Warren gebruikten. Ruby mocht zijn zaken waarschijnlijk blijven runnen door de maffia van Dallas, die toen werd geleid door Joseph Civello, om te kopen. Ruby telde de tweede man van Civello onder zijn goede vrienden en was ook bevriend met drie broers die in Dallas een andere maffia-afdeling leidden.

Andere sleutelfiguren

Hier volgen korte omschrijvingen van enkele andere sleutelfiguren in de moord op Kennedy.

Fidel Castro

Castro werd geboren uit een redelijk welgesteld Cubaans boerenechtpaar en ging naar school bij de Jezuïeten. Hij studeerde rechten en trouwde in een van de rijkste families van het eiland. Toch was hij op zijn eenentwintigste revolutionair en wijdde hij zich aan het omverwerpen van het dictatorschap van Fulgencio Batista, de vriend van de V.S.

Als jonge opruier was Castro een hervormingsgezinde nationalist en geen communist. Hij werd in 1953 gevangen gezet, maar mocht twee jaar later in Mexico in ballingschap gaan. In 1956 keerde hij terug naar zijn vaderland en gaf leiding aan een guerrilla die op 1 januari leidde tot de val van Batista.

Onder president Eisenhower begon de CIA een plan te ontwikkelen om Cuba binnen te vallen en Castro te vermoorden en dat project werd overgedragen aan de regering van Kennedy. Blijkbaar ging de CIA zover dat maffiamoordenaars werden ingehuurd voor de uitvoering. Maar het plan mislukte en in 1962 stemde president Kennedy in met een invasie in de Varkensbaai onder leiding van de CIA – een avontuur dat voor de VS uitliep op een debacle.

De Verenigde Staten raakten er steeds meer van overtuigd dat Castro aan het flirten was met de Sovjet Unie, de aartsvijand in de koude oorlog. De angst van de VS dat Rusland gebruik zou maken van Cuba – slechts 145 km van Key West, het zuidelijkste puntje van Florida – als lanceerplatform voor atoomraketten, leidde in 1963 tot de Cubaanse crisis, een spelletje blufpoker van zeven dagen tussen Kennedy en de sovjetleider Nikita Chroesjtsjov.

Castro staat op 78-jarige leeftijd nog steeds aan het roer. Hij heeft de Sovjet Unie overleefd en tien Amerikaanse presidenten zien komen en gaan.

Lyndon Johnson

Lyndon Johnson was een pragmaticus. Hij was om te beginnen verstandig genoeg om te weten dat hij niet alles wist – een eigenschap die niet alle politici bezitten. Hij was in 1908 ten westen van Austin in Texas geboren, gaf les aan een middelbare school en ging vervolgens in 1931 naar Washington als secretaris van een nieuwgekozen congreslid. Voor zijn dertigste werd Johnson in 1937 in het Huis van Afgevaardigden gekozen als vervanger van een Texaans congreslid. Hij maakte elf jaar vol en werd in 1948 in de senaat gekozen waar hij een invloedrijke onderhandelaar werd als handhaver van de fractie-discipline van de meerderheid, als leider van de minder-heid en in 1955 leider van de meerderheid.

Johnson en Kennedy, de belangrijkste kandidaten voor de Democratische nominatie van 1960, besloten samen aan de verkiezingen deel te nemen. Het leverde voordeel op, want samen versloegen ze nipt het Republikeinse duo Nixon-Lodge.

Twee uur na de moord op Kennedy werd Johnson beëdigd als de zesendertigste president van de Verenigde Staten. Hij werd in 1964 tot president gekozen, maar deed in 1968 niet meer mee. Hij overleed in 1973 op zijn ranch.

Jim Garrison/Oliver Stone

Garrison was de officier van justitie van New Orleans die aan het eind van de jaren zestig van de twintigste eeuw aankondigde dat hij de moord op Kennedy had 'opgelost'. Hij klaagde een zakenman uit Louisiana aan voor samenzwering, maar na een proces dat vierendertig dagen duurde en meer weg had van een circus dan een rechtszaak, sprak de jury de man in minder dan een uur vrij.

Garrison werkte twaalf jaar als officier van justitie en werd later gekozen tot rechter van een hof van beroep in Louisiana. Maar hij was een inmiddels vrij onbekende figuur geworden toen filmproducent Stone in 1991 'J.F.K.' uitbracht waarin de openbare aanklager werd voorgesteld als een held die een boosaardige overheid bestreed. (Hij kreeg een rolletje in de film die was gebaseerd op een van de drie boeken die Garrison over de moord schreef.)

Hij overleed in 1992. De *New York Times* schreef in zijn

necrologie: 'Veel openbare beambten en moorddeskundi-
gen hebben de theorieën van meneer Garrison afgedaan
als bizar, onverantwoord en een poging om publiciteit te
krijgen. Maar er bleef belangstelling voor zijn beschuldigingen bestaan toen de twijfel over de nauwkeurigheid en
volledigheid van de officiële bevindingen toenam.'

Abraham Zapruder

Zapruder, negenenvijftig jaar oud en kledingfabrikant
in Dallas, stond op de dag dat Kennedy werd vermoord in
de menigte op Dealey Plaza. Zijn firma, Jennifer Junior
Inc., was gevestigd in een gebouw tegenover het Texas
School Book Depository.

Hij was een fanatiek filmer en plaatste zijn Bell &
Howell Zoomatic 8 mm op een dertig centimeter hoge
betonnen steunbalk naast de 'grasheuvel' van Dealey
Plaza om bewegende beelden van het bezoek van de president aan Dallas vast te leggen.

Nog zo'n vijfenzeventig amateur- en beroepsfotografen
maakten opnamen van de stoet van Kennedy tijdens het
passeren van het boekenmagazijn. Maar zijn timing, de
kwaliteit van Zapruders camera en de duidelijke beelden
vanaf zijn hoge standpunt maakten van zijn opname
een onschatbaar, zij het vreselijk grafisch en historisch
document.

Hij filmde zesentwintig seconden lang met 18,3
beeldjes per seconde. Op de eerste zeven seconden is het
voorafgaande motorescorte te zien. Na een onderbre-
king tonen de laatste negentien seconden Kennedy en
Connally die worden neergeschoten. Een aantal van die
354 beeldjes verschenen in een speciale uitgave van het
tijdschrift Life dat al enkele dagen later in de kiosken

lag. Zowel mensen die geloven in de alleen werkende moordenaar als twijfelaars maken gebruik van de film van Zapruder om hun argumenten kracht bij te zetten.

Zapruder die in 1970 overleed, en zijn erfgenamen verdienden een fortuin aan de film. Zapruder kreeg $ 150.000 van *Life* en zijn familie ontving tot 1996, toen de film in beslag werd genomen door de Amerikaanse regering, bijna één miljoen dollar aan verschillende gebruiksrechten. In 1999 bepaalde een arbitrage-commissie dat de regering zestien miljoen dollar moest betalen voor de film die nu ligt opgeslagen in het nationaal archief.

Commandant James Humes

Hoewel zijn naam niet zo algemeen bekend is als van de andere figuren rond de moord, speelde dr. Humes een belangrijke rol bij het ontstaan van complottheorieën. Hij was de militaire arts die in het Bethesda Naval Hospital sectie op Kennedy verrichtte – een autopsie die beroeps-matige pathologen anatoom later een 'forensische ramp' noemden.

Humes, toen achtendertig, was hoofdpatholoog ana-toom van het ziekenhuis en directeur van de laboratoria in het National Medical Center. Toch was Kennedy zijn eerste autopsie van een schotwond en hij leverde slordig werk af. Hij zei later dat hij opdracht had gekregen alleen te zoeken naar kogelfragmenten en geen volledig forensisch, pathologisch onderzoek uit te voeren.

Tijdens het onderzoek genomen foto's waren donker en amateuristisch. Humes zei dat hij de aantekeningen die hij tijdens het onderzoek maakte, weggooide omdat ze onder het bloed zaten.

Humes trad in 1967 uit dienst en werd professor in de klinische pathologie op Wayne State University School of Medicine. Hij overleed in 1999.

Auteurs

Tal van schrijvers hebben zich op de moord op Kennedy gestort. Sommigen waren toegewijde onderzoekers, anderen behoorden tot de zonderlingen en weer anderen tot de groep beunhazen. Bijna elk boek over JFK kan rekenen op verkoopcijfers opdrijvende publiciteit en dat weten de uitgevers ook. Tot de auteurs die aandacht verdienen behoren:

David S. Lifton. Zijn boek uit 1981, *Best Evidence: Disguise and Deception in the Assassination of John F. Kennedy*, blijft favoriet van de aanhangers van de complottheorie.

James Garrison. De officier van justitie van New Orleans verkondigde zijn eigen theorie en blies zijn eigen trompet in *On the Trail of the Assassins: My Investigation and Prosecution of the Murder of President Kennedy*.

Patricia Lambert. Als complotaanhangster nam ze het op tegen Garrison en Stone in haar boek uit 1999, *False Witness: The Real Story of Jim Garrison's Investigation and Oliver Stone's Film JFK*.

Gerald Posner. Veel aanhangers van de complottheorie knarsetanden nog steeds als Posners *Case Closed* ter sprake komt. Deze bestseller uit 1995 probeerde de complottheorieën aan de kaak te stellen en bood een zelfverzekerde versie van het scenario van de alleen werkende schutter.

Jim Marrs. De journalist uit Dallas stelde een compendium van complottheorieën, waaronder enkele zeer vergezochte, samen in zijn boek uit 1989, *Crossfire: The Plot That Killed Kennedy*.

Harrison Livingstone en Robert Groden. Hun boek *High Treason: The Assassination of JFK & the Case for Conspiracy* werd oorspronkelijk uitgegeven in 1980 en aangevuld met nieuw 'bewijsmateriaal' van een complot in 1996.

De dader

Wie was dus de moordenaar van John Kennedy? *'De lijst van gewone verdachten is zo lang, dat ongeacht welke groep je wilt treffen, je een zaak kunt opbouwen op grond van de moord op Kennedy,'* zegt John McAdams, de professor van Maquette. *'Alles kan worden geloofd als je bereid bent het onbetrouwbaarste bewijs en de bedrieglijkste conclusies voor waar aan te nemen en te volgen.'* Hier volgt een korte lijst van verdachten en theorieën.

Lee Harvey Oswald, alleen opererende schutter
Het beste argument voor de omstreden conclusie van de Commissie Warren is waarschijnlijk het toeval waardoor Oswald enkele weken voor de moord een baan kreeg bij het Texas School Book Depository – een ander wees hem erop. Nog kwaad over Cuba hoorde Oswald dat de autocolonne van Kennedy voorbij zijn gebouw zou komen. Hij smokkelde een geweer het gebouw in, vond een plaats bij een raam op de vijfde verdieping en vuurde de schoten af die de president doodden en gouverneur

Connally verwondden, zeggen de aanhangers van deze theorie.

Tweede, niet geïdentificeerde schutter op de grasheuvel.

Het idee van een tweede moordenaar of een moordteam op Dealey Plaza is in de loop der jaren aangemoedigd door verdachte schaduwen, schijnbaar schietende silhouetten en rookwolkjes op films en foto's die getuigen op de dag van de aanslag hebben gemaakt. Deze fotografische hiërogliefen zijn al meteen ontcijferd op de dag na de aanslag en figuren als 'Black Dog Man' (man met zwarte hond) en 'Umbrella Man' (man met paraplu) zijn legendarisch onder zowel de twijfelaars als de gelovigen. Oliver Stone gebruikte de geheimzinnige parapluman in 'J.F.K.' om een teken te geven aan het moordteam door zijn paraplu op en neer te bewegen. De film liet één feit buiten beschouwing: de parapluman was al lang geleden geïdentificeerd, ondervraagd en gezuiverd van enige deelname aan de moord.

De Cubanen

De eenvoudigste theorie is dat Fidel Castro bevel gaf Kennedy te vermoorden, omdat Kennedy had geprobeerd hem te laten vermoorden. Een variant daarop is dat Cubaanse ballingen kwaad waren op Kennedy vanwege de mislukte invasie in de Varkensbaai en een aanslag op hem lieten uitvoeren. En in een tweede versie van die variant gaven diezelfde rechtse Cubanen opdracht Kennedy te vermoorden, omdat Kennedy de Cubaanse crisis had opgelost door de Sovjets te beloven dat hij Castro met rust zou laten. Oswald moest de aandacht van de Cubanen afleiden en het was de taak van Ruby hem het zwijgen op te leggen.

De Kennedy-voor-Castro-hypothese had een markante aanhanger: Lyndon Johnson. Zes maanden voordat hij stierf, zei Johnson tegen een journalist: 'Ik heb nooit geloofd dat Oswald alleen handelde, hoewel ik kan aannemen dat hij de trekker overhaalde.' Hij zei te geloven dat Castro bevel gaf tot de vergeldingsmoord. De Cubaanse complottheorieën telden zwaar, omdat Oswald een bewonderaar van Castro was en niet lang voor de moord had geprobeerd naar Cuba te reizen. Bovendien had Ruby het eiland in 1959 bezocht. Louter toeval zeggen aanhangers van de alleen optredende schutter. Onmogelijke toevalligheden, zeggen de twijfelaars.

De KGB

Volgens deze theorie vermoordden sovjetagenten – weer met Oswald als afleider – Kennedy, omdat de president premier Nikita Chroesjtsjov in verlegenheid had gebracht met het 'pokerspel' van de raketcrisis. Mensen die hier niet in geloven wijzen erop dat Kennedy had beloofd Cuba politiek met rust te laten en dat hij ook andere concessies had gedaan waardoor Chroesjtsjov een slimme onderhandelaar was gebleken en geen mislukkeling. Aanhangers van de complottheorie merken graag op dat Oswald had geprobeerd over te lopen, in de Sovjet Unie had gewoond, een beetje Russisch sprak en helemaal weg was van Russische literatuur en muziek.

LBJ

Lyndon Johnson speelt een vage rol in een aantal complottheorieën. Zoals gezegd, geloofde hij dat Oswald een marionet van Castro was. De officier van justitie Jim

Garrison uit New Orleans wees ook naar Johnson als een poppenspeler die in Garrisons persoonlijke complottheorie aan touwtjes trok. Hij speelde ook een rol in de KGB-complottheorie, omdat hij volgens aanhangers de Commissie Warren opdroeg 'die steen niet om te draaien', toen hij hoorde van een mogelijke sovjetbetrokkenheid bij de moord.

In onlangs vrijgegeven telefoongesprekken die tijdens zijn presidentschap werden opgenomen, klonk Johnson onthutst en geërgerd toen verschillende assistenten, politici en persmensen hem op de hoogte brachten van complottheorieën over de moord. Maar het onderwerp kwam regelmatig ter sprake in het Oval Office.

Tijdens een gesprek met minister van Justitie Ramsey Clark haalde Johnson de heimelijke pogingen van de CIA aan om Castro te vermoorden. Hij zei: *'Het is ongelooflijk. Ik geloof er geen barst van en ik denk niet dat we het serieus moeten nemen. Maar ik vind wel dat jij het moet weten.'* Wat maar weer bewijst dat zelfs de president mogelijk niet alles weet wat de regering uitvoert.

De maffia

De maffia was ingenomen met Kennedy's geloof, maar had een hekel aan zijn politiek. De president en zijn broer, minister van Justitie Robert Kennedy, hadden aangedrongen op een diepgaand onderzoek naar intimidatiepraktijken van de bonden, wat hun een boze Jimmy Hoffa, baas van de chauffeursbond, opleverde. Zijn concessie aan Nikita Chroesjtsjov om het Cuba van Castro ongemoeid te laten schoot ook in het verkeerde keelgat van gangsters met financiële belangen in de casino's van Havana die voor de revolutie populair waren bij Amerikanen. En dan was er nog het bizarre plan van de CIA om maffiamoordenaars in te zetten tegen Castro. Sommigen denken dat de maffia kwaad werd, toen de Kennedy's ongeduldig werden en een streep door dat plan haalden. Ten slotte kan er sprake zijn geweest van een gecompliceerde romantische verwikkeling, omdat gangster Sam Giancana en Jack Kennedy volgens zeggen dezelfde maîtresse hadden.

Welke complottheorie met maffia-inbreng ook wordt gekozen, Oswald diende als bliksemafleider en Jack Ruby, de nachtclubeigenaar uit Dallas die vriendschappelijke banden had met de georganiseerde misdaad, moest de doofpot sluiten.

De FBI

J. Edgar Hoover was op de hoogte gehouden van de verblijfplaats en de activiteiten van Lee Oswald. Het bureau wist dat hij geabonneerd was op communistische tijdschriften, actief was in het pro-Castrocomité Fair Play for Cuba en naar Mexico was gereisd voor een mislukte poging om naar Cuba te reizen. Twee weken voor de moord sprak een FBI-agent met een kennis van Oswald en Oswald had naar de sovjetambassade in Washington geschreven om zijn beklag te doen over treiterij van de FBI.

Waarom zoveel belangstelling voor een links manne-tje, vragen de twijfelaars. De complotaanhangers ant-woorden dat de FBI tijdens de koude oorlog een opmer-kelijk vermogen aan de dag legde om een breed scala van vermoedelijke 'vijanden' op te sporen en Hoover stelde persoonlijk belang in een verbijsterend aantal van die zaken.

De theorie van Garrison/Stone

De speculatieve theorie van Jim Garrison over de moord op JFK was een mengelmoes van internationale en politieke intriges. Hij wees naar felle anti-communisten en fanatieke tegenstanders van Castro in de Central Intelligence Agency die de moord zouden hebben voorbereid omdat de president een zwakke houding aan de dag legde tegenover de Roden – wat wel bleek uit zijn concessies aan Chroesjtsjov tijdens de Cubaanse crisis. Dezelfde fanatici waren verbitterd, omdat Kennedy nadacht over een terugtocht uit Vietnam.

Garrison die graag in de schijnwerpers stond, beweerde dat Oswald nooit een schot had afgevuurd. Hij veroordeelde de conclusie van een alleen werkende schutter van de Commissie Warren als 'compleet fout'. Hij verscheen in de 'Tonight' show om zijn beschuldigingen van een moordteam, schaduwachtige figuren op de grasheuvel, fotografisch bewijsmateriaal en doofpotpraktijken van de politie van Dallas, de FBI, CIA, geheime dienst en rijke Texanen met Johnny Carson te bespreken. Maar zijn grote zaak, het proces wegens samenzwering tegen de zakenman Clay Shaw in 1969, was een lachertje, met zonderlinge getuigenissen van excentrieke getuigen. Een jury sprak Shaw in minder dan een uur vrij.

Niettemin werd dankzij Garrison en de film 'J.F.K.' bereikt dat het congres in 1992 bijna een miljoen voorheen geheime regeringsdocumenten over de dood van Kennedy vrijgaf.

De supersamenzwering van de overheid

In deze variant op de theorie van Garrison/Stone wilden elementen binnen de CIA Kennedy straffen omdat hij bevel had gegeven tot een serie ontslagen na het CIA-debacle in de Varkensbaai. De CIA-groep rekruteerde getrainde moordenaars (Cubanen, Maffia, sovjetspionnen en anderen) en kwamen toen met Oswald om de schuld in de schoenen te schuiven. De geheime dienst en de politie van Dallas waren erbij betrokken en de plaatselijke politie haalde Ruby met een list over om Oswald neer te schieten. De moordenaars werden later gedood, in stukken gehakt en begraven in Mexico.

De waarheid werd a) verborgen gehouden voor de politieautoriteiten of b) onthuld aan de autoriteiten die de informatie verborgen hielden voor de rechercheurs om een ineenstorting van het hele Amerikaanse militair-industriële complex te voorkomen.

Oswald en andere onbekende moordenaars

Na een onderzoek van twee jaar kwam de speciale congrescommissie voor sluipmoorden in 1979 op basis van 'wetenschappelijk akoestisch bewijsmateriaal' tot de slotsom dat ook een tweede schutter op Kennedy had gevuurd. De commissieleden schreven: *'De commissie is op basis van het beschikbare bewijsmateriaal van mening dat president John F. Kennedy vermoedelijk werd vermoord als resultaat van een complot. De commissie is niet in staat de andere schutter te identificeren of de omvang van het complot vast te stellen. Echter 'op basis van het beschikbare bewijsmateriaal' worden de regering van de Sovjet Unie, de Cubaanse regering en Cubaanse anti-Castroballingen als verdachten uitgesloten.'*

Er werd aan toegevoegd dat 'individuele leden' van anti-Castrogroepen of de maffia niet op voorhand konden worden uitgesloten. En de geheime dienst, de FBI en de

CIA werden ronduit van alle blaam gezuiverd.

De speurtocht gaat verder

Degenen die bezeten zijn van de moord op Kennedy richten zich normaal op kleine aanwijzingen. Voor de aanhangers van een complottheorie lijkt de 'oplossing' van de zaak door het identificeren van de daders minder waarschijnlijk dan het beantwoorden van een vraag over een bewijsstuk.

De vorige herfst kwamen enkele van de leidende figuren uit zowel het kamp van de twijfelaars als de hekelaars in Pittsburgh bijeen voor een conferentie ter gelegenheid van de veertigste verjaardag van de gebeurtenis.

Het Cyril Wecht instituut voor forensische wetenschap en wetgeving dat was verbonden aan de juridische faculteit van de Duquesne University organiseerde een nationaal symposium waaraan een groot forum van geleerden, wetenschappers en belangrijke personen deelnam. Katherine Ramsland van Crime Library nam eraan deel en schreef het volgende verslag.

Terwijl duizenden rouwenden zich verzamelden om naar de X op de weg in Dallas te kijken waar Kennedy door de eerste kogel was geraakt, en de familie Kennedy bijeenkwam rond de eeuwige vlam bij zijn graf in Arlington, betraden 1300 mensen het auditorium van Duquesne om zich te buigen over het bewijsmateriaal voor en tegen een complot- of een doofpotscenario.

Aan het eind van 1963 dacht ongeveer 52% van de Amerikanen dat er meer dan één schutter was geweest. In 2003 bedroeg dat aantal 75% ondanks de inspanningen van verschillende door de overheid gesteunde comités om een eind te maken aan de discussie. In 1988 sloot het ministerie van Justitie het onderzoek af met de verklaring dat er geen bewijzen van een complot waren gevonden. Voor de aanhangers van complottheorieën betekende dit alleen dat het ministerie van Justitie betrokken was bij de doofpot.

Van de avond van de opening tot en met de drie volle dagen van voordrachten daarna bood het programma in Pittsburgh forums van schrijvers met tegenover elkaar staande visies, pathologen en anderen met tegenstrijdig bewijsmateriaal, en juridische deskundigen die aanleiding gaven tot zware discussies.

Dr. Cyril Wecht begon het programma met een oproep tot waarheid, openheid en nauwgezetheid in de verslaggeving. Hij wees erop dat de media in de jaren zestig van de vorige eeuw totaal verschilden van de huidige media die elk kleinste aspect van de gebeurtenis in beeld zouden brengen. In die tijd, opende Wecht de discussie, waren journalisten en redacteuren geneigd te aanvaarden wat ze te horen kregen.

Om die reden maakten talloze jonge verslaggevers die in 1963 trouw over het scenario van de alleen opererende schutter schreven waarmee de overheid was gekomen, snel carrière. In een schaamteloos vertoon van meegaandheid zochten ze niet zelf naar de feiten toen die nog nieuw waren en als gevolg van hun gebrek aan journalistieke agressie ging er veel verloren dat nooit meer zal worden opgediept.

Na de voordracht van Wecht bracht een forum van schrijvers hun vaak tegengestelde meningen te berde. Het was duidelijk dat slechts een paar sprekers het standpunt van de regering vertegenwoordigden zoals dat was verwoord in de conclusies van de Commissie Warren in 1964.

In het forum van de schrijfster dezes, waarvan vooraanstaande personen als Anthony Summers en Walt Brown deel uitmaakten, werd er fel gediscussieerd en verschillende sprekers schoten hun giftige pijlen met name af op één van de forumleden, Zachary Sklar, de scenarioschrijver van 'JFK'.

Sklar was aanvankelijk nerveus, maar werd zelfverzekerder toen hij verklaarde dat zijn script veel nauwkeuriger was dan de critici beweerden. Maar ook al verzekerde hij dat 80% van de ontroerende toespraak was ontleend aan gerechtsstukken, nieuwslezer Peter Jennings sloot een speciaal programma van ABC die avond desondanks af met de woorden: *'Jim Garrison heeft die toespraak nooit gehouden.'*

Sklar hield vol dat de nieuwsredactie niet eens de moeite had genomen om het te controleren. Welke versie is waar? Sklar nodigde mensen uit het publiek uit om de gerechtelijke documenten zelf door te lezen, maar hoeveel mediamensen zouden dat ook echt doen? Hoeveel gewone mensen zouden dat doen? Met andere woorden, hoe vaak zijn ongegronde geruchten en ongecontroleerde inlichtingen van de ene bron doorgegeven aan de volgende? Het is net als bij het telefoonspelletje van kinderen waarbij er aan het eind heel iets anders uitkomt dan er aanvankelijk is ingestopt. Het kan moeilijk zijn om te ontdekken wiens documentatie geloofwaardig is, vooral wanneer de verkeerde informatie opzettelijk werd doorgegeven om bijvoorbeeld een boek te verkopen of een baan – en misschien wel een carrière – te redden.

Dit was de strekking van de conferentie: iedereen die een voordracht hield, bracht de feiten ter tafel die zijn of haar standpunt ondersteunden en soms werden de feiten die dat niet deden genegeerd of verworpen. Tekenen van schedelbreuk, opgenomen geluiden, reconstructies van de misdaad en grafieken met ingewikkelde meetresultaten werden uur na uur gepresenteerd.

Tegen het eind van de dag wist bijna niemand wat hij ervan moest denken. Omdat iedere inleider tijd nodig had om ingewikkelde ideeën uit te leggen, was het misschien doeltreffender geweest om de belangrijkste bewijsstukken ter tafel te brengen en dan twee aanhangers van tegengestelde theorieën uitleg te laten geven. Op die manier had het publiek de verschillende betogen meteen kunnen vergelijken zonder eerdere verklaringen die de huidige tegenspraken, te moeten opdiepen uit het geheugen. Het was moeilijk om alles bij te houden.

De tweede dag begon met een voordracht over de bewijswaarde van de beroemde film van Zapruder die op de conferentie was gepresenteerd als het belangrijkste bewijsstuk in het onderzoek. Onder de sprekers was David Wrone, auteur van *The Zapruder film: Reframing JFK's Assassination*. Hij besprak de manier waarop Zapruder de film na het voorval had behandeld en verwierp het idee dat complotterende regeringsfunctionarissen er beslag op gelegd konden hebben voordat hij hem aan *Life* verkocht en er op de een of andere manier mee hadden geknoeid om hem te laten aansluiten bij de officiële theorie.

Afgezien van technische onmogelijkheden en het feit dat de regering niet over de middelen beschikte om de film te kopiëren of er zodanig mee te knoeien dat het niet ontdekt zou worden, sloot het patriottische karakter van

Zapruder en zijn familie een dergelijke theorie uit. Hij had de film voor de geheime dienst gekopieerd en overgedragen aan *Life*.

Het personeel verwerkte de film beeldje voor beeldje om er dia's van te maken. Volgens Wrone bleek uit dia 190 dat er een kogel van één kant was afgevuurd voor de kogel die Kennedy in de nek raakte, maar die miste. Op dia 224 ging de kogel door Kennedy. Tegelijk kwam de revers op het colbert van Connally omhoog, waaruit volgens de aanhangers van de theorie van 'één kogel' wordt bewezen dat dezelfde kogel door Connally's lichaam ging.

Hij ging echter niet door zijn revers, maar lager door het colbert. Wrone besloot dat elke conclusie op basis van de beweging van de revers, die even gemakkelijk door een zucht wind kon zijn opgetild, geen basis heeft. Dat leek definitief, maar hij sloot de mogelijkheid uit dat de revers kon hebben bewogen als gevolg van een kogel die eronder door het colbert sloeg. Wrone weersprak ook latere medische verklaringen door te laten zien dat het filmbeeld van Kennedy die tegen zijn vrouw ligt, aangeeft dat een kogel de zijkant en niet de achterkant van zijn hoofd raakte.

Ooggetuigenverslagen werden in twijfel getrokken door verschillende sprekers die onderzoeken naar geheugenstoornissen aanhaalden of aantoonden hoe getuigen zichzelf tegenspraken of hun verhalen aanpasten om ze kloppend te maken met de officiële rapporten. Maar dat geheugendeskundigen het bestaan van geheugenstoornissen hebben aangetoond, bewijst nog niet dat deze getuigen daaraan leden en geen van de deskundigen die dit beweerden, durfde die laatste beslissende stap te zetten. Ze gaven alleen uiting aan hun twijfels.

Spreker Josiah Thompson, een professor in de filosofie

die privé-detective was geworden en *Six Seconds in Dallas* had geschreven, zei dat zijn verslag over de herkomst van de kogel die zogenaamd werd verwijderd uit de brancard van Connally kon worden vergeleken met de hele zaak. *'Als u een enkele draad, een enkel feit naloopt,'* zei hij, *'wordt u al gauw overstelpt met een wirwar van aanvullende vragen.'*

Hij had geprobeerd te ontdekken waar de kogel met de aanduiding Commissie-Bewijsstuk 399 in de loop van de jaren was geweest en wie hem hadden onderzocht. De verklaringen van degenen die hem hadden bekeken, met inbegrip van verpleegsters, sloten echter de mogelijkheid uit om ooit te achterhalen door welke handen hij achtereenvolgens was gegaan – en of CB 399 inderdaad de kogel was die door Kennedy was gegaan en daarna Connally had geraakt. (Dit werd later tegengesproken door een andere spreker die beweerde dat ballistische proeven aantoonden dat de kogel die op de brancard was gevonden uit Oswalds geweer kwam.

Donald Thomas, een specialist in akoestisch bewijsmateriaal, zei dat het scenario met drie schoten niet klopte. Hij kwam met bewijzen van geluidsberekeningen en opnames van motoragenten waaruit moest blijken dat er in feite vijf afzonderlijke schoten waren afgevuurd. Hij zei dat commissies die hiervan een studie hadden gemaakt, wisten van de vijf afzonderlijke knallen die op band waren vastgelegd, maar dat ze één hadden afgedaan als een 'opnamefout', omdat een enkel geweer twee kogels nooit zo snel achter elkaar had kunnen afvuren.

Thomas vond deze gevolgtrekking onlogisch, omdat het evengoed het bewijs kon zijn dat de theorie van twee schutters op waarheid berustte. In 1977 kreeg forensisch patholoog Michael Baden, die de bevindingen van de Commissie Warren onderschreef, de leiding over het forensisch pathologisch onderzoek voor de speciale congrescommissie voor sluipmoorden. Hij wierf acht andere gerenommeerde medische onderzoekers aan. Ze troffen een 'forensische ramp' aan.

Baden betoogde dat als de autopsie juist en volgens de procedure was uitgevoerd, de vele complottheorieën nooit van de grond waren gekomen. Maar commandant James Humes, de patholoog die de autopsie uitvoerde, had nog nooit te maken gehad met een kogelwond.

Hij had ook de opdracht gekregen geen volledige autopsie uit te voeren, maar alleen de kogel te vinden, waarvan men dacht dat die zich nog in het lichaam bevond. In zijn verslagen daarna had hij geen medische beschrijvingen opgenomen, maar verwees hij belangstellenden naar de foto's die onscherp waren. Humes had Kennedy niet eens omgedraaid om naar de wond achterin de nek te kijken en hij belde ook niet met het ziekenhuis van Dallas, anders had hij geweten dat er een tracheotomie was uitgevoerd die door de uittredewond in de keel ging. Hij ging er ten onrechte van uit dat de kogel uit dezelfde opening was gevallen waardoor hij was binnengedrongen.

Hij schoor ook het haar rond de hoofdwond niet weg om er een beter zicht op te hebben, maar fotografeerde die door het haar. Na slechts twee uur prepareerde hij het lichaam om te worden gebalsemd en verbrandde toen zijn aantekeningen om ze later uit zijn geheugen te reconstrueren. Het team van Baden bekeek de plaats van de misdaad en foto's van de autopsie, Kennedy's kleding, autopsieverslagen en röntgenfoto's.

Het werd al snel duidelijk dat de patholoog die het

onderzoek had gedaan, niet het verschil kende tussen een intrede- en een uittredewond. Met één uitzondering kwam het team tot de conclusie dat Kennedy door twee kogels was geraakt, waarvan één door hem heen was gegaan en Connally had verwond.

De afwijkende mening in dit team kwam van dr. Wecht, de lijkschouwer van Allegheny County, die waarschuwde dat er iets ontbrak. Volgens hem klopte de theorie van de enkele kogel niet wanneer werd gekeken naar kogelbaan, gewicht en toestand waarin die werd gevonden. *'De kogelbaan,'* zei hij in een kranteninterview, *'is een achtbaanrit van verticale en horizontale bewegingen en wentelingen die kogels in de vlucht gewoon niet maken. Het gewicht van de kogel was net iets meer dan 1,5% lichter dan een kogel uit de winkel, ondanks fragmenten die in borst, rechterpols en linkerdij van gouverneur Connally waren achtergebleven.'*

Ook vond hij de smetteloze en gave toestand van de kogel bijzonder onwaarschijnlijk nadat die door huid, spieren en beenderen was gegaan. En hij geloofde dat de beweging van het hoofd van de president, zoals te zien op de film van Zapruder, niet overeenkwam met een schot van achteren. Hij dacht dat de president twee keer synchroon werd geraakt van achteren en rechtsvoor.

In een artikel in de *The New York Times* uit 1972 had Wecht al gewaarschuwd dat in het Nationaal Archief verscheidene röntgenopnamen en foto's ontbraken. *'Wanneer je al die dingen bij elkaar zet,'* zegt hij, *'kun je heel goed begrijpen waarom er nog altijd zoveel verdeeldheid heerst.'* Hij gelooft dat we op een dag de waarheid zullen ontdekken, maar mogelijk niet meer tijdens zijn leven.

Senator Arlen Specter was ook aanwezig om een beschrijving te geven van zijn rol in het onderzoek na het overlijden van Kennedy. Hij was in 1964 beginnend advocaat bij de Commissie Warren en hij was de auteur van de 'enkele kogel'. Hij sprak over het verhoren van Jack Ruby en bood inzicht in het labiele karakter van de man, maar hij ging niet dieper in op een rechtstreekse uitdaging van Mark Lane, met zijn *Rush to Judgement* een van de eerste aanhangers van een complottheorie, die beweerde dat Specter een getuige bot had behandeld en had geprobeerd haar via chantage te bewegen haar verklaring te veranderen.

Verscheidene schrijvers die tegen de complottheorieën zijn, hebben geanalyseerd dat mensen die een dramatisch en verreikend scenario aanhangen, gewoon niet kunnen aanvaarden dat een niemendal als Oswald een man van zo'n internationaal kaliber kon doden. Toch gaat een dergelijke opmerking voorbij aan de geloofwaardigheid en het werk van veel van de wetenschappers en geleerden. Anthony Summers, auteur van *Not in Your Lifetime*, kwam helemaal van Ierland en voerde aan: '*Verwerp lastige feiten niet met nietszeggende algemeenheden en doe geleerden niet af als krankzinnigen.*'

De meeste mensen die een uitnodiging kregen om als spreker op te treden hebben zich jaren met de moord beziggehouden en verdienen minstens respect voor de belangrijke vragen die ze hebben opgeworpen. Men zou deze conferentie alleen kunnen afsluiten met het besef dat er nog veel gedaan moet worden. Veel van de feiten zijn nog onduidelijk en er lijkt geen goede reden te zijn waarom de regering weigert alle documenten vrij te geven.

4.

MARTIN LUTHER KING

Complot?

Het is bijna te volmaakt. Een racistische kruimeldief die naam wil maken, achtervolgt een goed beschermde zwarte leider van de burgerrechtenbeweging en doodt hem uiteindelijk. Dan slaagt hij in een bijna volmaakte ontsnapping – maar niet voordat hij het moordwapen (met vingerafdrukken) en zijn persoonlijke radio met ingegraveerd gevangenisnummer heeft laten vallen.

Het is bijna te volmaakt, omdat niemand zo stom zou zijn. Het moet een complot zijn van CIA, FBI en Witte Huis. Dat moet wel. Dat James Earl Ray, de kruimeldief die op school en in het leger mislukte, dr. Martin Luther King kon volgen, de invloedrijkste leider van de burgerrechtenbeweging kon doden en meer dan twee maanden lang kon ontkomen aan een internationale klopjacht om pas door Scotland Yard te worden opgepakt bij een controlepost van de douane waar hij helemaal niet hoorde te zijn, is onmogelijk.

Dominee Jesse Jackson beweert dat het een complot is. *Ik heb altijd geloofd dat de regering, direct of indirect, betrokken was bij een samenzwering om dr. Martin Luther King jr. te vermoorden,'* schreef hij in het voorwoord van de autobiografie van James Earl Ray *Who Killed Martin Luther King jr.?* Andrew Young, voormalig ambassadeur van de Verenigde Staten bij de Verenigde Naties en burgemeester van Atlanta gelooft ook dat de regering verantwoordelijk was voor de dood van King. *'Ik heb altijd geloofd dat de FBI er mogelijk op de een of andere manier bij betrokken was,'* zei hij. *'Je moet bedenken dat dit een tijd was waarin de politiek van de sluipmoord in dit land acceptabel was. Het was in de periode vlak voor de moord op Allende. Ik vind het naïef om denken dat deze instituten niet in staat waren hetzelfde in eigen land te doen of even naïef om te zeggen dat elk van deze doden (King en de twee Kennedy's) een op zichzelf staand incident was met "een enkele moordenaar". Het was regeringspolitiek.'*

Zelfs de familie van dr. King gelooft dat Martin het slachtoffer werd van een samenzwering waarbij regeringsfunctionarissen waren betrokken. Dexter King ontmoette de man die werd veroordeeld voor het vermoorden van zijn vader en zei later dat hij niet geloofde dat Ray de schutter was.

Er zijn twee zaken die bekeken moeten worden. Ten eerste, heeft James Earl Ray op 4 april 1968 in Memphis, Tennessee dr. Martin Luther King vermoord en ten tweede, was de moord de climax van een complot om de leider van de geweldloze Amerikaanse burgerrechten- en vredesbeweging het zwijgen op te leggen? Er is een aantal verschillende antwoorden mogelijk. Misschien was Ray de dupe van een wijdverbreide samenzwering. Misschien was hij op 4 april in Memphis maar vuurde hij het schot niet af. Het is ook mogelijk dat hij ongewild een pion was in een plan waarbij agenten tot op het hoogste niveau van de regering waren betrokken, met inbegrip van het Witte Huis van Johnson.

Of was het mogelijk dat een negers hatende sociopaat met waandenkbeelden van grootsheid erin slaagde dicht genoeg bij dr. King te komen om een schot af te vuren met een krachtig geweer met een telescoopvizier waarmee op dezelfde afstand een eland kon worden omgelegd?

Vergeleken met de eerdere moord op president Kennedy zijn de vragen die door de moord op dr. King worden opgeroepen iets duidelijker. Getuigen zijn het (grotendeels) eens over het aantal schoten en het gebied waar ze werden afgevuurd. Er zijn weinig geloofwaardige complottheorieën die uitgaan van meer schutters en er zijn geen bewijzen dat er die dag meer dan één persoon was die het plan had King te vermoorden. Aanhangers van complottheorieën moeten hun beschuldigingen baseren op de uitlatingen van Ray die schuld aan de moord bekende in ruil voor de garantie van de autoriteiten van Tennessee dat er geen doodstraf zou worden geëist. Eenmaal veroordeeld tot negenennegentig jaar begon Ray meteen terug te komen op zijn verklaring dat hij alleen had gehandeld.

Aan de andere kant waren het Federal Bureau of Investigation en de regering Johnson absoluut niet gediend van Kings verzet tegen de oorlog in Vietnam en J. Edgar Hoover wilde King met alle noodzakelijke middelen in diskrediet brengen of het zwijgen opleggen. De opmerkingen van Young en Jackson lijken niet echt onrust te willen stoken wanneer wordt gekeken naar de opeenstapeling van pesterijen, laster en smaad door de overheid waaraan dr. King blootstond. Als Hoover wilde dat King uit beeld verdween, kon hij de moord dan hebben goedgekeurd? Zoals blijkt uit de geschiedenis rechtvaardigde bij J. Edgar Hoover het doel de middelen.

Wie vermoordde dr. King dan? Was het een complot? Of was het slechts één boze jongeman die aangezet door zijn eigen haat een einde maakte aan het leven van een van de grootste leiders van Amerika? Na dertig jaar van onderzoek, getheoretiseer en speculatie is al het beschikbare bewijsmateriaal wel verzameld en kan wellicht een conclusie worden getrokken die de redelijke beschouwer bevredigend vindt.

Burgerrechten

De geschiedenis van de worsteling voor gelijke burgerrechten in Amerika is erg complex en hier kan er slechts
vluchtig aandacht aan worden besteed. Er is een overvloed aan materiaal voorhanden op zowel het internet
als in boekhandels voor lezers die de beweging grondi-
ger willen bestuderen. Om bepaalde gebeurtenissen in
de juiste context te plaatsen is het noodzakelijk een kort
overzicht te geven van de Amerikaanse burgerrechtenbeweging in de twintigste eeuw.

Dr. Martin Luther King jr. werd de leider van de nationale beweging voor rassengelijkheid van eind jaren vijftig
en jaren zestig van de vorige eeuw, nadat hij de busboycot
in Montgomery, Alabama had georganiseerd waardoor
mede een eind werd gemaakt aan de Amerikaanse apart-
heidspolitiek van gescheiden maar gelijke voorzienin-
gen voor zwart en blank. King was een sterke redenaar
die grote mensenmassa's kon motiveren met zijn boodschap van geweldloosheid en al snel werd hij een doelwit
van de gevestigde orde in het zuiden van de VS die niets
wilde weten van zijn oproep om de status quo te veranderen. Bedreigingen met de dood en pesterijen waren
aan de orde van de dag in het leven van activisten voor
zwarte burgerrechten en als een van de bekendste kreeg
King, president van de Southern Christian Leadership
Conference, meer dan zijn deel.

King die was afgestudeerd in sociologie en theologie
en een doctoraat had van de universiteit van Boston,
domineerde in de jaren zestig als leider van de SCLC de
gematigde vleugel van de burgerrechtenbeweging. Ter
linkerzijde van hem opereerden radicalere groeperingen

als de Black Panthers en het Student Non-Violent Coordinating Committee, dat ondanks het vredelievende karakter verdergaande maatschappelijke hervormingen voorstond. Ter rechterzijde stond de oudere groepering voor zwarte burgerrechten, de National Association for the Advancement of Colored People, dat veranderingen wilde bewerkstellingen via de rechtzaal en de wetgevende macht. De SCLC van King huldigde het beginsel van *Satyagraha* of geweldloze maatschappelijke aanpassingen zoals Mohandas Gandhi in India had gepropageerd. Hoewel King zich aanvankelijk concentreerde op gelijke rechten voor zwarte Amerikanen en minder aandacht had voor de herverdeling van rijkdom, was een van zijn adviseurs Stanley Levinson, een voormalige leider van de Amerikaanse communistische partij. King slaagde er met veel succes in om bondgenootschappen aan te gaan met blanken uit het noorden en met name joodse burgerrechtenleiders, maar zijn samenwerking met Levison zou hem bij veel blanken en vooral communistenhater J. Edgar Hoover, in een kwaad daglicht stellen.

Na een reeks succesvolle marsen en boycots leidde King in 1963 de beroemde mars naar Washington waar hij zijn mooiste rede afstak: 'I Have A Dream.' In die rede – eigenlijk een preek – verwoordde King zijn visioen voor Amerika: *'Ik heb een droom dat deze natie op een dag zal opstaan om te leven naar de waarachtige betekenis van haar credo: "Wij beschouwen deze waarheden als vanzelfsprekend, dat alle mensen gelijk zijn geschapen."... Ik heb een droom dat mijn vier kinderen op een dag in een land zullen leven waarin ze niet zullen worden beoordeeld op hun huidskleur, maar op karaktereigenschappen.'* Kings bezielende toespraak voor de miljoenen op de National

Mall zette de Amerikaanse burgerrechtenbeweging in het licht van de internationale schijnwerpers en voor zijn pogingen geweldloos gelijkheid te bewerkstelligen kreeg King in 1964 de Nobelprijs voor de vrede.

Na een van de langste debatten in de geschiedenis van de senaat nam het Congres van de Verenigde Staten de Civil Rights Act aan die vervolgens door president Johnson werd getekend. De wet moest onder andere het recht garanderen van alle bevoegde burgers om hun stem uit te brengen bij nationale verkiezingen. In theorie werd daarmee een van de grootste barrières in de juridische gelijkheid van zwart en blank Amerika opgeruimd. In de praktijk weigerden veel gemeenschappen in het zuiden minderheden nog steeds toegang tot de stembus en een federale wet kon niet veranderen waarvan de maatschappij door honderden jaren van racisme en apartheid was doordrongen.

'Elke list die de menselijke vindingrijkheid kan bedenken, is benut om dit recht te ondergraven,' zei president Johnson een jaar later. 'De zwarte burger kan zich gaan registreren om te horen te krijgen dat het de verkeerde dag is, of te laat, of dat de functionaris die de leiding heeft afwezig is. En als hij volhoudt en erin slaagt een registratieambtenaar te pakken te krijgen, kan hij worden afgewezen, omdat hij zijn tweede voornaam niet voluit schreef of omdat hij een woord op de aanvraag heeft afgekort. Want feitelijk is de enige manier om langs deze hindernissen te komen, het tonen van een blanke huid,' besloot Johnson een toespraak voor de beide kamers van het Congres.

Dus nam het Congres in 1965 na weer een zwaar debat de Voting Rights Act aan die een eind maakte aan bekwaamheidsproeven voor nieuwe kiezers. Natuurlijk maakte een volgende federale wet geen eind aan de rassenongelijkheid in Amerika, maar in het land waren er andere stormen op til die de aandacht van burgerrechten-leiders als Martin Luther King jr. begonnen te trekken.

De Verenigde Staten voerden een oorlog in Vietnam en in Amerika werd de kloof tussen arm en rijk groter. Gelijkheid en recht voor de zwarten kon niet worden ver-kregen zonder de solidariteit van de verschoppelingen, dacht King en hij sprak zich steeds duidelijker uit over zaken als de arbeidersbeweging, armoede en de oorlog in Vietnam.

Het was Kings standpunt ten gunste van de arbeiders die hem in maart en april 1968 naar Memphis, Tennessee bracht. Zijn streven naar de erkenning van de net opge-richte vakbond voor vuilnisophalers van Memphis en niet zijn campagne voor rassengelijkheid zou hem voor de geweerloop van de sluipmoordenaar brengen.

James Earl Ray

Als kind lukte het James Earl Ray om uit de problemen te blijven – hij spijbelde misschien af en toe, maar over het algemeen was hij geen moeilijk kind. Hij had het zwaar, want het gezin was arm en verhuisde vaak vanwege een paar luie en domme familieleden die het leven in de stadjes van het Midden-Westen niet eenvoudiger maakten. In de zesde klas werd hij beschuldigd van dief-stal en toen hij vijftien was, had hij genoeg van school.

Hij maakte voor het eerst kennis met de gevangenis nadat hij dienst had genomen in het leger en in de jaren na de tweede wereldoorlog naar Duitsland was uitgezonden. James dronk kennelijk graag en hij werd gearresteerd door de MP, beschuldigd van dronkenschap en verstoring van de openbare orde en veroordeeld tot negentig dagen dwangarbeid. Toen hij uit dienst kwam, begon hij te zwerven en belandde een paar nachten in de gevangenis voor landloperij. Zijn eerste grote arrestatie vond plaats in 1949 en in Californië zat hij acht maanden uit voor diefstal. In 1952 kreeg hij twee jaar cel voor een gewapende overval op een taxichauffeur in Illinois. In 1955 overtrad Ray zijn eerste federale wet met het stelen en vervalsen van postwissels. Hij werd gepakt en naar Leavenworth in Kansas gestuurd.

Tegen 1956 zag de maatschappij eigenlijk geen heil meer in James Earl Ray. Een reclasseringsbeambte schreef over hem: *'Hij kan kennelijk niet vooruitkijken of hij is bang voor de toekomst, want hij weigert absoluut om plannen te maken. Hij beweert dat hij zijn straf beter kan uitzitten als hij niet nadenkt. (Hij) vindt zijn huidige toestand blijkbaar prettig.'*

Bij zijn vrijlating in 1958 komt er een belangrijke aantekening in het Leavenworth-dossier van Ray. Op zich lijkt het een onbetekenend zinnetje. Wordt het echter in het bredere verband van Ray's leven geplaatst, dan spreekt er een heel nieuwe betekenis uit. In zijn reclasseringsverslag schreef de beambte: *'Vanwege goede gedrag mocht hij naar onze Honor Farm, maar de overplaatsing vond nooit plaats, omdat hij dacht niet in een slaapzaal van de Honor Farm te kunnen verblijven, aangezien die geïntegreerd zijn...'* Een decennium voor die noodlottige dag in Memphis had hij zijn racistische gevoelens schijnbaar duidelijk kenbaar gemaakt.

Hij bleef ongeveer een jaar eerlijk, deed klusjes en

zwierf rond, maar al gauw verviel hij in zijn oude leef-
wijze. Op 10 oktober 1959 beroofde James Earl Ray een
Kroger kruidenierswinkel met een vuurwapen en werd
twintig minuten later in de kraag gegrepen. Hij werd veroordeeld als recidivist en kreeg twintig jaar gevangenisstraf in de Missouri State Prison in Jefferson City. Ray liet
zien dat hij zijn straf rustig kon uitzitten en verscheidene
jaren lang was hij gewoon een van de vele gevangenen in
de MSP. De straf was lang, maar Ray besteedde zijn dagen
aan het verbeteren van zijn vaardigheden als crimineel
en aan het voorbereiden van zijn ontsnapping. Zijn eerste
poging in 1961 was een armzalige mislukking en hij
bracht enige tijd door in eenzame opsluiting. Ray liet zich
er niet door uit het veld slaan, maar wachtte oplettend op
een volgende gelegenheid. Die kwam zes jaar later.

Op eigen verzoek begon Ray in 1966 met een psycho-
logische behandeling om de stemmen in zijn hoofd tot
zwijgen te brengen. Het bleek in zekere zin een vergis-
sing, want de autoriteiten die hadden geconstateerd dat
hij zijn straf – op die ene overtreding na – rustig uitzat,
kregen te horen dat ze te maken hadden met een neurotische, obsessief dwangmatige, paranoïde persoonlijkheid.
De onderzoekende arts schreef: 'Het is twijfelachtig of hij
in aanmerking mag komen voor een voorwaardelijke vrijlating.'

Uiteindelijk slaagde Ray erin een baantje te krijgen
in de gevangenisbakkerij van Jefferson City waar brood
werd gebakken voor de instelling met de bijbehorende
boerderijen en huizen voor gevangenen met goed gedrag.
Elke dag reed een vrachtwagen vol brood de gevangenis
en de stad uit naar de verder weg gelegen boerderijen.

Het werd het doel van James Earl Ray om op een dag

in die vrachtauto te zitten. Hij had de hulp nodig van een andere gevangene en zodra hij een gewillige medewerker had gevonden, verspilde hij geen tijd maar klom in een grote broodkist, kroop onder een valse bodem en liet zijn medeplichtige daar broden op leggen. De kist werd in de vrachtwagen geladen met de andere kisten en na een oppervlakkige blik van de bewakers ontsnapte James Earl Ray op 23 april 1967 uit de Missouri State Prison.

De rol van de FBI

J. Edgar Hoover had een hekel aan dr. Martin Luther King, jr. Hoover was geen echte racist, maar had gewoon een hekel aan iedereen die zijn bijna almachtige invloed op het Amerikaanse juridische systeem aan de kaak stelde. Hoover hield niet van burgerrechtenleiders, hij moest niets hebben van mensen die tegen de oorlog protesteerden, hij hield niet van maatschappelijke activisten en hij moest helemaal niets hebben van communisten. En als je in de jaren zestig van de vorige eeuw deel uitmaakte van de FBI, dan kon je beter net zo denken. J. Edgar Hoover hield ook niet van nietsdoen. Als hij je niet mocht, bleef hij niet gewoon zitten piekeren, maar deed iets. Dus toen mannen als Jesse Jackson en Andrew Young beweerden dat de overheid deel uitmaakte van een samenzwering om King te vermoorden, was het de overheid die werd geleid door J. Edgar Hoover, waarover ze het hadden.

King was voor het eerst in 1961 onderwerp van onderzoek, toen Hoover een ondergeschikte vroeg naar het dossier van de burgerrechtenleider. In een memo aan zijn meerdere maakt agent G.H. Scatterday kort melding van King: *'King bedankte de Socialist Workers Party voor hun steun bij de busboycot.'* Scatterday's verslag gaat verder met de mededeling dat King *'niet door de FBI werd onderzocht'*, waarop J. Edgar Hoover volgens zeggen moet hebben gevraagd: *'Waarom niet?'* Toen Hoover vroeg waarom niet, wisten zijn ondergeschikten wat hun te doen stond en werd een dossier over King aangelegd. Een niet geheim memorandum dat werd rondgestuurd en nu als gevolg van de wet op de vrijheid van informatie beschikbaar is in de leeszaal van de FBI, laat zien dat iemand Kings naam in het memo van Scatterday heeft gemarkeerd en erbij heeft geschreven: *'Hebben we meer gegevens?'*

Onder supervisie van minister van Justitie Robert Kennedy ging de FBI in 1962 en 1963 King intensiever schaduwen. Kennedy vroeg de FBI op een gegeven moment om een plan te ontwikkelen om King heimelijk af te luisteren en elektronisch te schaduwen, maar later kwam hij daarop terug en gaf de FBI opdracht om alle activiteiten te staken. Op dat moment maakte Kennedy zich zorgen over de banden van King met de communisten en socialisten die actief aanhangers probeerden te krijgen in de lagere Amerikaanse klassen. Volgens de berichten nam King zelf deel aan een scholingsprogramma van de Communistische Partij en in de jaren vijftig van de vorige eeuw hield hij de slotrede op een seminar.

Zonder dat Kennedy het wist, begon de FBI aan een onwettig contraspionageprogramma gericht op King en de SCLC. *'Het programma was bedoeld om de burgerrechtenleider in diskrediet te brengen en te neutraliseren,'* staat in het FBI-rapport na de sluipmoord. Hoover was erg bang voor communisten en hij was ervan overtuigd dat de roden de zwarte samenleving probeerden te 'infiltreren' om ze over te halen naar de communistische kant. Nadat hij Castro had zien overlopen – die bij het begin van zijn revolutie geen communistische neigingen vertoonde – was Hoover vastbesloten zich niet nogmaals voor de gek te laten houden, toen zijn adviseurs meldden dat de communistische pogingen om aanhang te krijgen onder de zwarten, op niets waren uitgelopen.

Geprikkeld door Hoovers woede over de tegenslag van Castro's machtsovername van Cuba, begon het lagere kader van de FBI King en de SCLC actiever te volgen. Hoover zelf bleef steevast geloven dat King een communist was, maar hij wilde zijn bureau niet uitsluitend op zijn overtuiging laten handelen. Aanvankelijk vertelden zijn ondergeschikten hem dat de communisten geen invloed hadden in de burgerrechtenbeweging en Hoover zei dat ze het bij het verkeerde eind hadden. Zijn assistenten wijzigden snel van koers en zeiden dat de baas gelijk had en dat King een communist was. Maar Hoover verwierp dat, aangezien niemand met bewijzen was gekomen. Het enige alternatief was volgens de onderdirecteuren de bewaking van King op te voeren om de rotzooi te vinden waarvan Hoover heilig geloofde dat die er was. In 1963 vroeg Hoover voor de tweede keer toestemming om het huis en de kantoren van King af te luisteren. Deze keer stemde Bobby Kennedy toe onder het voorbehoud dat de apparatuur aan het eind van het jaar zou worden verwijderd wanneer er geen bewijzen van een communistische infiltratie werden gevonden. Door de moord op zijn broer vergat Bobby die voorwaarde en Hoover vergat opzettelijk om zijn baas eraan te herinneren. Het afluisteren ging door.

Een maand voor de moord op John Kennedy kreeg J. Edgar Hoover het verslag dat was gebaseerd op deze verhoogde controle. *'De bijgevoegde analyse over communisme en de zwarte beweging is zeer controversieel,'* schreef de assistent van de directeur A.H. Belmont. *'Het kan worden beschouwd als een persoonlijke aanval op Martin Luther King. Zonder twijfel zal dit een diepe indruk maken op de minister van Justitie en ieder ander aan wie we dit verstrekken. Dit krijgt de aanduiding TOP SECRET.'* Op zijn persoonlijke exemplaar van het memorandum schreef Hoover: *'Ik ben blij dat je eindelijk erkent dat een dergelijke invloed bestaat.'*

In 1962 begonnen er vonken over te slaan tussen Hoover en King persoonlijk. Het is belangwekkend dat King de eerste klap uitdeelde door in het openbaar het optreden van de FBI bij een rassenincident in Albany, Georgia aan de kaak te stellen. Hoover reageerde door voor een parlementaire commissie te getuigen dat hij geloofde dat communisten de burgerrechtenbeweging hadden geïnfiltreerd en er leiding aan gaven. King reageerde op deze aantijging door Hoover ervan te beschuldigen de vlammen van het racisme aan te wakkeren en de reactionaire rechtervleugel te lijmen.

Later zei Hoover tegen een groep journalisten dat King *'de meest notoire leugenaar van het land'* was. King en Hoover sloten eind 1964 een broos bestand na een persoonlijke ontmoeting die de geschilpunten moest gladstrijken. Over deze ontmoeting zei Hoover tegen ondergeschikten *'dat hij King meteen de wind uit de zeilen had genomen'*. King bood van zijn kant verontschuldigingen aan voor opmerkingen die hij had gemaakt en bedankte Hoover voor het werk dat de FBI deed bij het onderzoeken van overtredingen van burgerrechten. De wapenstilstand duurde twee weken. Op 14 december 1964 herhaalde het Southern Christian Educational Fund de kritiek van King op Hoover en riep aanhangers op, president Johnson te schrijven met het verzoek Hoover te ontslaan. Het vuilspuiten ging jaren door, inclusief een voorval waarbij Hoover in Washington een functionaris uit Atlanta ontmoette ter gelegenheid van de inauguratie van president Johnson. Hoover onthulde weinig vleiende details over het persoonlijke leven van King die waren verkregen met het afluisteren. De functionaris gaf alles bij terugkeer in Atlanta door aan dr. Martin Luther King sr. die vervolgens zijn zoon op de hoogte bracht.

Raoul

Terwijl King in de clinch lag met de FBI en zijn aandacht geleidelijk verlegde van de burgerrechten naar een meer algemeen standpunt op het gebied van mensenrechten en vrede, probeerde James Earl Ray zo min mogelijk op te vallen en trok langzaam in noordelijke richting naar Canada. Zijn ontsnapping uit de gevangenis in Missouri wekte weinig beroering en kwam nauwelijks in het nieuws. Er werden aanplakbiljetten gedrukt met de gevangenisfoto van Ray, maar de eerste druk bevatte de verkeerde vingerafdrukken – iets dat aanhangers van een complottheorie staaft in hun overtuiging. Er werd een beloning uitgeloofd: $ 50.

Ray slaagde erin wat ongeschoold werk te doen tijdens zijn tocht naar het noorden en zijn werkgevers herinneren zich hem als een harde werker en een aardige vent.

Voor de meesten was het een schok toen ze hoorden dat de man die zij in dienst hadden gehad, werd gezocht voor de moord op Martin Luther King. James die altijd een beetje een vrek was geweest, legde een aardig centje opzij met hard werken, sparen en kruimeldiefstallen.

Zijn doel was de grens met Canada over te steken, een Canadees paspoort aan te vragen en werk te vinden aan boord van een schip. Zodra hij aan boord was, wilde hij ergens drossen om elders een nieuw leven te beginnen. Waar dat elders was, wist hij niet en het kon hem ook niet schelen. Hij dacht dat hij voor een Canadees paspoort alleen maar een kluns hoefde te vinden die bereid was te zweren dat hij hem minstens twee jaar had gekend.

In een afgereden Plymouth die hij voor een paar honderd dollar in contanten had gekocht, stak Ray in juli 1967 bij Detroit de Canadese grens over en reed van Windsor naar Montreal waar veel buitenlanders waren als gevolg van een internationale expo. Onderweg naar Montreal gebruikte Ray voor het eerst de naam Eric S. Galt, die hij beweerde te hebben verzonnen na het zien van een verkeersbord met de naam van de stad Galt op Highway 401. Op dat moment woonde er in Montreal echter een Eric S. Galt die hoogstens een oppervlakkige gelijkenis met Ray vertoonde. Hoe Ray ertoe kwam de naam Galt te kiezen vinden veel aanhangers van een complottheorie belangrijk. Ze gaan ervan uit dat iemand die Galt kende of in elk geval van zijn bestaan wist, Ray hielp ontsnappen naar Canada en zijn verblijf daar financierde. William Bradford Huie, de pionier van de chequeboekjournalistiek die James Earl Ray $ 40.000 betaalde om hem 'de waarheid' over de sluipmoord te vertellen, komt met een logischer verklaring: *'Hij zag de naam Galt op richtingaanwijzers voor een uitrit en koos die als zijn achternaam. Toen hij op 16 juli in Toronto stopte om de nacht in een motel door te brengen, zocht hij de naam Galt op in het telefoonboek... en koos "Eric S".'* er is nooit een aanwijzing geweest dat de echte Eric S. Galt voor die noodlottige dag ooit van James E. Ray had gehoord of hem had gezien.

Ray komt zelf met adviezen voor het kiezen van een schuilnaam: *'Ik heb veel verschillende namen gebruikt, maar een nieuwe kiezen is nooit gemakkelijk. Ik kan het me niet veroorloven zoiets gemakkelijks als Smith of Brown of Jones te kiezen, omdat ik wel eens zou kunnen vergeten wie ik ben als iemand het me plotseling vraagt. Mijn naam moet ongebruikelijk zijn, zodat die in mijn geheugen blijft hangen en ik altijd weet wie ik ben.'*

Montreal is een grote haven aan de St. Lawrence Seaway en Ray bracht behoorlijk wat tijd door in de buurt van het water waar hij probeerde een bondskaart te bemachtigen om te kunnen aanmonsteren. Zonder paspoort kreeg hij geen bondskaart en zonder bondskaart zou hij nooit aan boord van een schip komen. Zijn pogingen om een vrouw borg voor hem te laten staan bij de immigratiedienst lukten niet en na een paar weken begon zijn geld op te raken. Ray vertelde Huie dat hij nooit van plan was geweest om terug te keren naar de VS, maar omdat hij geld nodig had, begon hij in een paar van de louchere havenbars rond te strooien dat hij in de States problemen had gehad en dat hij tegen een vergoeding bereid was 'karweitjes' met weinig risico op te knappen.

Volgens Ray leverde het wat op. *'Op een middag ging ik langs (bij de Neptune Tavern) en ontmoette een figuur die halverwege de dertig leek,'* schreef Ray in zijn autobiografie. *'Hij was ruim één zeventig, woog een kleine vijfenzestig*

*kilo en had iets golvend rood haar dat waarschijnlijk was
gekleurd. Hij kwam aan mijn tafeltje zitten, bestelde wat te
drinken en begon wat te kletsen met volgens mij een Spaans
accent. Toen stelde hij zich voor als "Raoul". Hij heeft nooit
een achternaam gegeven. Ik nam aan dat als hij wilde dat
ik die kende, hij het wel zou zeggen en ik drong niet aan.'*

Raoul en Ray probeerden de volgende paar dagen
goed hoogte van elkaar te krijgen en zodra ze elkaar ver-
trouwden, sloten ze een overeenkomt. In ruil voor een
smokkelkarweitje, zou Raoul zorgen dat James Ray papieren kreeg. Raoul vertelde James dat hij een paar pakjes
had die naar Mexico moesten. Als Ray de pakjes over de
Amerikaanse grens kreeg, zou Raoul ze naar Mobile in
Alabama brengen waar ze elkaar weer zouden treffen.
Samen zouden ze naar de Mexicaanse grens rijden om het
proces te herhalen.

Ray stemde met het plan in, maar adviseerde om de
ontmoeting niet te laten plaats vinden in Mobile aan de
golf van Mexico, maar in Birmingham, enkele uren rijden
ten noorden van Mobile, midden in Alabama. Raoul
stemde in met die aanpassing, beweert Ray. *'Mij maakte
het niet uit,'* schreef Ray. *'Ik was niet van plan naar die
plaatsen te gaan.'* Hij wilde de grens oversteken met de
smokkelwaar en dan meteen terugkeren met zijn nieuwe
Canadese identiteit.

De rit naar de grens verliep volgens Ray zonder
problemen. De twee reden naar Windsor en voordat ze
bij de douane waren gingen ze uit elkaar. Raoul nam een
taxi over de grensrivier. Ray reed met zijn Plymouth en de
twee pakjes die verborgen lagen achter de achterbank van
de auto, door de Ambassadortunnel. In zijn boek beweert
hij dat de auto oppervlakkig werd doorzocht, maar dat

er geen smokkelwaar werd gevonden. Volgens Ray werd de eerste douanier die de auto doorzocht, onderbroken voordat hij klaar was. *'Vlak voordat hij bij de achterbank kwam, verscheen een tweede douanier die tegen de eerste zei dat hij het af zou maken,'* beweert Ray. *'De eerste liep weg. De tweede maakte ineens een eind aan het onderzoek.'* In Detroit kwamen Raoul en Ray weer bij elkaar en daar nam de geheimzinnige Latijns-Amerikaan de twee pakjes ter grootte van een baksteen over. Ray wilde na de ontvangst van zijn paspoort Raoul in de steek laten, maar de man bekende dat er moeilijkheden waren bij het krijgen van de valse papieren. Raoul bracht de boze Ray tot bedaren met 'een stapel geld' en de belofte dat hij de papieren in Alabama zou krijgen. Ze gingen uiteen en Ray ging op weg naar Birmingham.

Er zijn verschillende waarheidsgetrouwe elementen in het verhaal dat James Earl Ray vertelde aan William Huie – die geloofde dat Ray de moordenaar van King was en alleen werkte. Huie kon bewijzen dat Ray zich van Missouri naar Detroit werkte en onderweg opvallend goede getuigschriften verzamelde. Huie bewees ook dat Ray de grens naar Canada overstak enige tijd in Montreal doorbracht en ten slotte terugkeerde naar de VS. Huie bevestigt ook dat bij een populaire vorm van smokkelen aan het eind van de jaren zestig bandieten contact legden met Amerikanen en drugs of andere contrabande de VS in lieten smokkelen. Zelf staken ze de grens over in een taxi en ontmoetten hun medeplichtigen weer aan de andere kant. Huie was niet in staat iemand te vinden die Raoul kende. Maar als een ontsnapte veroordeelde die veilig de Canadese grens was overgestoken, zou James Earl Ray een verdraaid goede reden moeten hebben gehad om weer naar de Verenigde Staten te gaan met het risico te worden aangehouden door de immigratiedienst. Smokkelen was een goede reden, dacht Huie.

Naar het zuiden

Uit eigen beweging of als radertje in een groot plan waarvan de ontwerper voor hem een mysterie bleef, reisde Ray naar Birmingham in Alabama en schoot daar – tenminste voor zijn doen – enigszins wortel. Na een bezoek aan zijn broer in Chigago die meldde dat niemand naar hem had gevraagd, dook James in Birmingham op. Volgens zijn opsomming van gebeurtenissen ging hij in Birmingham naar het postkantoor en vroeg als Eric S. Galt naar een brief die Raoul daar poste restante naartoe had gestuurd. In de brief gaf Raoul James opdracht om hem te ontmoeten in de Starlight Bar, wat Ray deed.

'We hebben een goede wagen nodig,' zei Raoul tegen Ray. 'Maar ik wil niet meer uitgeven dan een paar duizend dollar.' Raoul droeg Ray op een geschikte auto te vinden ook al ging diens voorkeur uit naar een kneusje van $ 200. Na zijn arrestatie vertelde Ray Huie zeer gedetailleerd hoe hij erin slaagde om in Birmingham als Eric Galt door het leven te gaan. Ray kon bij een bank in Birmingham aantonen dat hij een kluisje nodig had en hij huurde dat op naam van Eric S. Galt. In het kluisje legde hij het geld dat Raoul hem had gegeven, identiteitspapieren en andere zaken die hij niet bij zich wilde dragen en ging op zoek naar een auto.

Hij vond een mooie, lichtgele Mustang uit 1966 die voor de juiste prijs te koop was: $ 1.995. Ray betaalde contant voor de auto. Hij beweerde dat het geld van Raoul kwam. Achteraf ontdekte James Earl Ray dat hij betrokken raakte bij een complot om King te vermoorden op het moment dat hij ermee instemde de pakjes over de Canadese grens te vervoeren. Hij raakte er verder in verwikkeld toen hij ermee instemde om naar Birmingham te reizen. *'Niemand zou me in Birmingham $ 3.000 hebben gegeven om alleen wat drugs de grens over te brengen,'* schreef Ray aan Huie. *'Maar niemand vertelde me van een plan om King of iemand anders te vermoorden.'* De reactie van Huie hierop: *'Ik vind het moeilijk te aanvaarden dat een medeplichtige van Ray bij het smokkelen van drugs van Windsor naar Detroit in augustus 1967 het plan had om dr. King in april 1968 te vermoorden. En welke misdadiger zou op 20 augustus 1967 een auto voor Ray kopen die hij op 4 april 1968 kon gebruiken om de plaats van de moord te ontvluchten?'*

Er is een andere verklaring hoe een ontsnapte gevangene die was veroordeeld voor gewapende overvallen in Birmingham terecht kwam met ongeveer drieduizend dollar. Ray gaf toe dat hij $ 700 van Raoul had gekregen. Hij had $ 300 gespaard toen hij ontsnapte en hij had tijdens de periode dat hij op de vlucht was $ 650 verdiend als afwasser. Hij bekende ook een gewapende overval in Montreal die $ 1700 opleverde. In augustus 1967 was James Earl Ray in Birmingham met ongeveer $ 3400 in contanten.

Hoe zou een gevangene achter de tralies $ 300 kunnen sparen? Gerald Posner, schrijver van *Killing the Dream: James Earl Ray and the Assassination of Martin Luther King jr.* heeft bewijzen gevonden dat Ray in de gevangenis in amfetamine dealde en ook aan speed verslaafd was. Dit zou de psychose van Ray in 1966 verklaren, voegt Posner eraan toe.

Ray beweert dat Raoul hem tijdens het verblijf in Birmingham opdroeg via een postorderbedrijf 8mm filmapparatuur aan te schaffen, wat Ray deed. Correspondentie tussen Ray en de camerafirma toont aan, dat in de september 1967 een super-8 filmcamera, projector, montageapparaat en zes meter kabel voor bediening op afstand naar Ray werden gestuurd. Ray was kennelijk niet tevreden met de camera en stuurde die terug. Hij vroeg het terug te storten bedrag naar Puerto Vallarta in Mexico te sturen. In diezelfde tijd kocht Ray ook een polaroidcamera voor $ 245.

Na zijn gevangenneming ontkende Ray aanvankelijk te weten waarom de camera-uitrusting was gekocht. Hij bleef bij zijn verhaal dat Raoul de apparatuur om een of andere duistere reden wilde hebben, maar Huie komt met een andere verklaring: 'Ray is slechts dol op één spel: Agenten en Boeven,' schreef hij. 'Met hemzelf als de ongrijpbare boef... achtervolgd door domme agenten... hij vertelde me dat de politie erg slechte foto's van hem had en dat hij er veel jonger uitzag dan zijn leeftijd. Dus toen de FBI een aanplakbiljet van hem ophing met een slechte foto en het bijschrift dat hij in 1928 was geboren, "kon niemand me daarvan herkennen...".'

Ray verwachtte dat de FBI hem tijdens zijn verblijf in Birmingham op de lijst van de tien meest gezochte misdadigers zou zetten, maar 'voor 4 april 1968 werd James Earl Ray door de FBI beschouwd als een van de minst waarschijnlijke kandidaten voor de lijst van de Ten Most Wanted Criminals,' schreef Huie. Hij bracht uren door met poseren voor zijn filmcamera, vertelde Ray aan Huie, en hij maakte zelfportretten die hij naar clubs van 'alleen-staanden' stuurde in een poging de FBI af te schudden.

Posner komt met een betere verklaring voor Ray's aanschaf van kwalitatief goede apparatuur. James had al tegen zijn broer Jerry gezegd dat hij in de lucratieve, maar nog altijd erg illegale pornowereld wilde stappen. Uit gegevens blijkt dat Ray een chemische stof kocht die volgens zeggen van een stuk glas een doorkijkspiegel kon maken, zodat hij heimelijk vrouwen kon filmen.

In de herfst van 1967 nam Raoul volgens Ray in Birmingham contact met hem op en gaf hem opdracht naar New Orleans en daarna naar Mexico te gaan voor weer een smokkelreis. Deze keer waren de pakjes in een reserveband verstopt die Raoul van de ene auto naar de andere overbracht, maar verder was de methode dezelfde als bij het passeren van de Canadese grens: Ray reed de auto met de smokkelwaar en Raoul nam een taxi de grens over. Weer zinspeelt Ray op enige medeplichtig-heid van de grensbewakers aan wie hij vier dollar de man betaalde.

Ray bracht een ontspannen maand in Mexico door in de buurt van Acapulco en Puerto Vallarta, voordat hij naar het noorden richting Los Angeles en Californië trok, waar hij vijf maanden bleef hangen. Gedurende die tijd volgde hij een cursus voor barkeeper en nam hij dans-lessen. Het was de examenfoto van de cursus barkeeper die FBI-agenten konden gebruiken om de man met de naam Eric S. Galt een gezicht te geven.

De weg naar Memphis

In december 1967 reed Ray, die ongeveer een maand in Los Angeles had gewoond, in oostelijke richting van LA naar New Orleans in Louisiana met Charles J. Stein, een vriend die hij in Zuid-Californië had ontmoet. Het doel van de reis was om de kinderen van Steins zus op te halen en terug te keren van Los Angeles. De kosten bedroegen volgens zeggen voor Stein onder andere het lidmaatschap van de politieke apartheidspartij van de voormalige gouverneur van Alabama, George Wallace. Voorstanders van de theorie van de enkele schutter wijzen hierop als bewijs van Ray's racistische overtuiging. Twee dagen later verliet hij het hotel aan Chartres Street in de buurt van de Franse wijk en keerde met Stein en de twee kinderen terug naar Los Angeles. '*Het was leuk om door het land te rijden – we zagen geen politie, hadden geen panne en zagen geen vliegende schotels,*' schreef Ray in zijn autobiografie.

Het was in New Orleans dat volgens Ray de teerling werd geworpen. Terwijl Stein de kinderen ophaalde, zou Ray Raoul hebben ontmoet die hem weer een Canadees paspoort beloofde na nog een smokkeltochtje. Naast het paspoort zou Raoul James tussen de $ 10.000 en $ 12.000 geven. Deze keer bestond de smokkelwaar uit vuurwapens.

In het begin van 1968 leidde James Ray een geregeld leven. Hij volgde dansles, deed een schriftelijke cursus slotenmaker en bezocht Las Vegas op nieuwjaarsdag. Hij trok wat rond, maar bleef in de buurt van Los Angeles. Ray onderging in februari 1968 een kleine plastisch chirurgische ingreep. Hij vertelde zijn chirurg dat hij meer een adelaarsneus wilde hebben, omdat hij acteur was, maar in werkelijkheid wilde hij zijn gelaatstrekken veranderen zodat hij niet langer op foto's van hemzelf (als Galt) leek, die hij naar 'alleenstaanden'-clubs door het hele land had gestuurd. Veel onderzoekers vinden dat hieruit blijkt dat Ray van plan was een belangrijke misdaad te plegen, waardoor een klopjacht op hem zou worden geopend. Foto's van Eric S. Galt het land door sturen en dan opzettelijk Galts uiterlijk veranderen zou zeker verwarring zaaien onder het politiepersoneel.

Op 17 maart 1968 leverde Ray op naam van Galt een verhuisformulier in bij een postkantoor in Los Angeles. Als toekomstige bestemming gaf hij een postadres op in Atlanta, Georgia. Verscheidene dagen later verscheen Ray in New Orleans waar hij een pakket met kleren afgaf bij de moeder van Charles Steins nichtjes.

Gedurende de volgende week begon Ray, volgens zijn eigen bekentenis tegenover Huie, met het volgen van King. Eerst in Selma, Alabama, vervolgens naar Montgomery en dan Birmingham volgde Ray de burgerrechtenleider, terwijl King bezig was met voorbereidingen voor een mars naar Washington DC. Uiteindelijk keerde King gevolgd door Ray naar Atlanta terug. Ray bleef minstens tot 28 maart in Atlanta. De volgende dag liep Ray binnen bij de Aeromarine Supply Company in Birmingham waar hij vroeg of hij een paar krachtige jachtgeweren mocht zien.

In zijn gesprekken met Huie beweert Ray dat hij Raoul voor een tweede keer ontmoette toen hij het pakket voor Stein in New Orleans afgaf en dat Raoul hem eind maart ook in Atlanta trof. Volgens Ray vertelde Raoul hem bij die ontmoeting in Atlanta, dat hij geweren moest kopen om ze in de toekomst in Memphis van de hand te doen.

'Raoul legde uit wat hij van me wilde en dat was een groot kaliber jachtgeweer kopen met een telescopisch vizier en ammunitie. Ik moest ook informeren naar de prijs van goedkope buitenlandse geweren,' schreef Ray in een brief aan Huie. 'Nadat ik het geweer had gekocht, zou ik het mee-nemen naar de kopers en als het goed was, zou ik er tien voor hen kopen met een telescoop en ongeveer tweehonderd van de goedkope buitenlandse.'

Bij Aeromarine Supply bekeek Ray als Harvey Lowmeyer verschillende geweren en koos een Remington Gamemaster Model 760. Dit .243 kaliber pompgeweer is een klein kaliber vuurwapen, maar met voldoende ver-mogen om op bijna driehonderd meter een hert neer te leggen. Bij het Model 760 koos Ray een Redfield variabele telescoop met een vergroting van twee- tot zevenmaal. Als ammunitie koos hij Norma kogels van 4,86 gram met een holle punt. Alles bij elkaar kostte het hem ongeveer tweehondervijftig dollar. Volgens de vuurwapenwetten die op dat moment golden, hoefden de verkopers van Aeromarine Supply Ray's identiteit niet te controleren of op te tekenen.

Later die dag belde Ray Aeromarine en zei dat hij niet tevreden was met het Model 760 en het wilde omruilen voor iets met meer vermogen. De volgende dag keerde Ray terug en deze keer koos hij een Model 760 30-06 kaliber geweer. Hij liet de Redfield telescoop op het nieuwe Model 760 monteren. De 30-06 is het type geweer waar-mee Ray in het leger trainde en het vuurt de Springfield 30-06 patroon af met volgens de legerspecificaties een kogel van 9,7 gram die op 100 meter een energie heeft van 3213,3 Joule. 'Nauwkeurigheid volop: gevoelige trekker en precisieloop helpen u die bok in de vriezer te krijgen,' schreef Remington Arms over hun snelste niet-automatische jachtgeweer voor groot wild. Het nieuwe geweer kostte Ray $ 265,85.

Ray vertelde Huie dat hij in een paar dagen rustig van Birmingham naar Memphis reed waar hij van Raoul te horen kreeg dat hij op 4 april een kamer moest huren op 422 Main Street. Op dat adres tegenover het Lorraine Hotel is Bessie Brewer's Rooming House (pension) gevestigd. Hij beweerde dat hij na het kopen van het geweer nooit naar Atlanta terugkeerde, maar in Mississippi bleef. Huie volgde echter elke stap die Ray had gezet vanaf het moment dat hij in de broodwagen Jefferson City uitreed, en hij was niet in staat het motel te vinden waar Ray zegt in Mississippi te hebben gelogeerd. De eigenaar van het pension in Atlanta waar Ray verbleef voordat hij het geweer kocht, herinnert zich daarentegen dat Ray daar tot de eerste dagen van april 1968 heeft gelogeerd. Belangrijk is ook dat Martin Luther King in Atlanta was om de mars naar Washington voor te bereiden op het moment dat Ray zei in Mississippi te zijn.

Hoe dan ook, Ray kwam op 3 april 1968 naar Memphis in Tennessee en huurde een kamer in een hotel in het centrum. De volgende dag verhuisde hij naar 422 Main Street. Martin Luther King jr. had nog slechts enkele uren te leven toen Ray daar aankwam.

Bekende feiten

Het belangrijkste onderwerp op de agenda van King was in het voorjaar van 1968 niet de oorlog in Vietnam en evenmin de arbeidersbeweging in Memphis. King probeerde in begin april een Mars van Armen naar Washington te organiseren. Duizenden rechteloze Amerikanen van alle rassen zouden in de nationale hoofdstad samenkomen om te protesteren tegen de economische ongelijkheid in het land. King accepteerde echter een uitnodiging van vakbondsleiders in Memphis om de vuilophaaldienst van de stad – met uitzondering van de chauffeurs bijna allemaal zwarten – te helpen bij de pogingen in maart om een vakbond op te richten. Een bijeenkomst in Memphis liep uit op geweld met bendes vandalen die plunderden en relletjes trapten, ondanks de verzoeken van King om geweldloos te protesteren.

King en de leiders van de SCLC verlieten Memphis, maar King vond het nodig om terug te keren en te laten zien dat geweldloos protesteren zijn doeltreffendheid nog niet had verloren. De SCLC maakte plannen om naar Memphis terug te keren en op 3 april weer in het Lorraine Motel te logeren. King was van plan op 8 april in Memphis een geweldloze mars te houden om de aandacht weer op de staking van de vuilnisophalers te richten. Toen hij echter in Memphis aankwam, kreeg King te maken met een gerechtelijk bevel van een federale rechter die de mars verbood en daartegen wilde de burgerrechtenleider de volgende dag in beroep gaan.

King bracht de avond van 3 april tot de kleine uurtjes van 4 april met assistenten door om een strategie te bepalen en om ongeveer half vijf in de ochtend keerde hij terug naar het Lorraine waar hij werd opgewacht door zijn broer, ds. A.D. Williams King, Georgia Davis en Lucie Ward. De twee broers brachten ongeveer een half uur met de vrouwen door, voordat Martin Luther King jr. naar de kamer ging die hij deelde met ds. Ralph Abernathy. Dertig minuten nadat hij naar zijn kamer was gegaan, sprak King nog eens met Davis in een aparte kamer. Hij bleef daar ongeveer een uur voordat hij terugkeerde naar zijn eigen kamer.

Pas vroeg in de middag kwam de King de hotelkamer uit, terwijl Andrew Young naar de rechtbank ging om het gerechtelijk bevel aan te vechten. King bracht een groot deel van de middag door met Davis, zijn broer, Ward en Abernathy. Ergens tussen half zes en kwart voor zes 's middags – Abernathy en Davis zijn het niet eens over de tijd – keerden King en Abernathy terug naar hun eigen hotelkamer om zich te verkleden voor het diner. De hele groep zou gaan eten bij een plaatselijke predikant, ds. Billy Kyles.

Om zes uur 's middags stapten King en Abernathy vanuit hun kamer op de eerste verdieping op het balkon van het Lorraine. King begon een gesprek met zijn chauffeur, Solomon Jones, over het weer en Jones raadde King aan een jas mee te nemen, omdat het kil begon te worden. King gaf Jones gelijk en begon zich om te draaien naar zijn kamer. Op dat moment, vertelde Jones de autoriteiten later, hoorde hij een geluid waarvan hij dacht dat het een rotje was en zag hij King op het balkon vallen. Jones riep om hulp en de assistenten van King die allemaal in de buurt waren, renden naar de burgerrechtenleider.

De kogel raakte King in de buurt van zijn kaak, brak zijn onderkaak, sneed door de halsader, rug- en sleutelbeenslagaders en verbrijzelde verschillende hals- en rugwervels. Er was niets dat gedaan kon worden en dr. Martin Luther King werd om 19.05 uur in het St. Joseph Hospital dood verklaard.

'De doodsoorzaak was een kogelwond in de kin en nek

met een fataal doorsnijden van het lagere hals- en hogere borstruggenmerg en andere belangrijke delen van de nek,' schreef dr. J.T. Francisco, de gerechtsarts van het district, in zijn officiële autopsierapport. 'De richting van de wond was van voor naar achter, van boven naar beneden (van rechts naar links).'

De politiebeveiliging rond King was scherp geweest gedurende de twee dagen in april dat hij in Memphis was. Hij had voortdurend onder toezicht gestaan van minstens twee agenten in burger die niet met Kings gezelschap meereisden; in plaats daarvan hielden ze Kings doen en laten heimelijk in de gaten. Tijdens het grootste deel van deze surveillance waren twee van de vier agenten die de groep van King de dag rond in het oog hielden, zwart: rechercheur Edward E. Redditt en agent Willie B. Richmond.

Op het ogenblik van het schieten, had Redditt geen dienst, omdat iemand anoniem het politiebureau van Memphis had gebeld en dreigementen had geuit tegenover Redditt en zijn gezin vanwege het vermeende optreden van de rechercheur als deel van de 'overheid'. Op 4 april verliet Redditt om 4 uur 's middags de surveillance-plaats – brandweerkazerne nr. 2 die een veilige en beschutte plaats bood om het gezelschap van King te observeren. Toen de schoten vielen, had Richmond nog dienst in brandweerkazerne nr. 2 en hij meldde de schoten te horen. Richmond zag King op de vloer van het balkon vallen en alarmeerde zowel een tactische politie-eenheid in de buurt als het hoofdbureau van politie in Memphis. Hij kreeg opdracht bij de brandweerkazerne te blijven, terwijl andere agenten naar het Lorraine gingen. Korte tijd later kreeg Richmond opdracht naar het hoofdbureau te komen voor een gedetailleerd rapport van zijn waarnemingen.

De politie was tijdens Kings bezoek aan Memphis in april in verhoogde staat van paraatheid met negen tactische eenheden verspreid door de stad en tien normale patrouille-eenheden met drie of vier man per auto in de buurt van het Lorraine Motel op het moment van de schietpartij. Vijf van de tactische eenheden bevonden zich om 6 uur 's middags binnen een straal van drie kilometer van het Lorraine. Dat gold ook voor Tactische Eenheid 10 die was gepositioneerd bij brandweerkazerne nr. 2. en bestond uit twaalf mannen in drie auto's onder commando van inspecteur Judson Gormley van het bureau van de sheriff van Shelby County. Tactische Eenheid 10 had een pauze in de kazerne; de mannen dronken koffie of maakten gebruik van het toilet toen de schoten klonken. Zodra ze de schoten hoorden, renden acht van de mannen naar het Lorraine Motel en twee anderen reden van de brandweerkazerne naar het hotel.

Agent Morris die van Kings mensen te horen had gekregen dat het schot was afgevuurd van de achterkant van een pension aan de overkant van de straat, rende om het blok naar de voorkant van het motel, waar hij een andere agent van de tactische eenheid ontmoette van wie de identiteit nog altijd niet vaststaat. Een zoektocht van twee andere agenten leverde verse voetafdrukken op in de modder van een steegje tussen het gebouw waaruit geschoten zou zijn en een ander gebouw. Eén agent bleef daar staan tot mensen van de technische recherche afdrukken van de sporen konden maken. Een tweede politieman, agent Dollahite, rende naar de voorzijde van het gebouw van waaruit de moordenaar de kogel had

afgevuurd en kwam terecht op Main Street voor een ver-
vallen logement. Toen hij verder liep, stuitte Dollahite op
een groene deken die voor Canipe's Amusement Company
naast het logement lag. De deken bedekte een blauwe
koffer en een kist die een zwaar geweer met een telescoopvizier bevatte. Om de een of andere reden rende Dollahite,
die de commandant van tactische eenheid 10 Gormley
aan zag komen lopen, langs de deken en betrok de wacht
bij de volgende zijstraat. Gormley die naar Dollahite toe
liep, zag de deken en ook het geweer en kreeg van de eigenaar van Canipe's Amusement Company te horen dat een
blanke man voorbij was komen rennen en dat allemaal
had laten vallen. Canipe vertelde Gormley dat de man was
gevlucht in een vrij nieuwe witte Mustang. Gormley gaf
deze informatie door aan het hoofdbureau van politie in
Memphis.

Het eerste bericht van de moord op King werd om
18.03 uur via de radio aan het hoofdbureau doorgegeven. Om 18.06 uur was een kring getrokken waarbinnen
zowel het Lorraine als het logement vielen. Om 18.07 uur
liet Gormley het hoofdbureau weten dat het wapen
was te vinden voor Canipe's Amusement Company.
Om 18.08 uur gaf de radiokamer door dat de gezochte
persoon een jonge, goedgeklede blanke man was. Twee
minuten later gaf de radiokamer aan alle eenheden
door dat de gezochte persoon was gevlucht in een witte
Mustang. Om 18.15 uur waren rechercheurs van de
afdeling moordzaken ter plaatse en om 18.30 uur
hadden ze alles veiliggesteld. Het hele pakket werd met
uitzondering van een T-shirt en een korte broek om
21.15 uur overgedragen aan de FBI – Federal Bureau of
Investigation.

De politie van Memphis maakte wel een puinhoop van het vangnet. Er werd geen uitgebreid opsporingsbericht naar de politie van Mississippi of Arkansas gestuurd, terwijl Arkansas op minder dan een kwartier van Memphis ligt en Mississippi slechts weinig verder. Ook al keek de politie van heel Memphis en Tennessee uit naar een blanke man in een Mustang, hun collega's in Arkansas en Mississippi wisten totaal niet dat zich een moordenaar in hun midden bevond.

Het onderzoek

De FBI raakte erbij betrokken nadat directeur J. Edgar Hoover en minister van Justitie Ramsey Clark de dienst opdracht gaven de mogelijkheid van een overtreding van de Civil Rights Act uit 1964 te onderzoeken. Wanneer ras een motief voor moord of voor een samenzwering tot moord was, zou het een federale misdaad worden. Natuurlijk zette de politie van Memphis het onderzoek voort, omdat de moord was gepleegd in het eigen rechtsgebied. Speciaal agent Robert G. Jensen, hoofd van het plaatselijke kantoor van de FBI in Memphis, nam de leiding van het federale onderzoek op zich.

Het onderzoek richtte zich aanvankelijk op Bessie Brewer's Rooming House van waaruit de schoten waren gelost. Brewer vertelde de autoriteiten dat een zekere John Willard zich op 4 april ergens tussen 15.30 en 16.00 uur bij haar had ingeschreven en kamer 5B had gekregen die uitkeek op het Lorraine Motel. Willard had eerst kamer 8 toegewezen gekregen die dat uitzicht niet had, maar hij had een andere kamer gevraagd. Willard werd omschreven als een goed geklede blanke man van ongeveer 35 jaar met een gewicht van ongeveer 82 kilo. Charles A. Stephens die in het pension logeerde, vertelde de onderzoekers dat hij een schot had gehoord in de badkamer aan de achterkant van het gebouw (met uitzicht op het Lorraine Motel) en toen hij na het horen van het schot naar zijn deur rende, zag hij een man die voldeed aan de beschrijving van Willard naar de voorkant van het gebouw en de trap af vluchten.

Een andere logé, William Anchutz, meldde dat hij het schot had gehoord en een man met Willards signalement had zien wegrennen. Anchutz zei tegen de man: '*Ik dacht dat ik een schot hoorde,*' waarop de man reageerde: '*Ja, het was een schot.*'

Naast het pension hoorden twee klanten in de Canipe's Amusement Company een 'bons' en zagen een man van ongeveer 1,80 meter, rond de dertig jaar oud en keurig gekleed, langs de ingang van de zaak rennen. Het leek erop dat de man bij zijn vlucht iets in het portiek van de zaak had laten vallen. Enkele ogenblikken later zagen ze een witte Mustang wegrijden met de man erin. Het bleek een deken te zijn met daarin een Remington Gamester Model 760 .30-60 kaliber met een telescoopvizier, een radio, wat kleren in een blauwe weekendtas, een verrekijker, een paar blikjes bier en een advertentie voor de York Arms Company met bijbehorende kwitantie.

Korte tijd later werden geweer en telescoop herleid tot een sportwinkel in Birmingham, Alabama, de Aeromarine Supply Company. Medewerkers van de winkel vertelden tegen agenten dat een zekere Harvey Lowmeyer de betreffende zaken op 30 maart 1968 had gekocht. De verkoper die het geweer aan Lowmeyer had verkocht, beschreef hem als een keurige blanke man van in de dertig, ongeveer 1,80 meter en 75 kilo. De verrekijker bleek uit de York Arms Company in Memphis te komen en twee uur voor het neerschieten van King te zijn gekocht. De blikjes bier waren gekocht in Mississippi.

Vijf dagen nadat King was neergeschoten, vond de politie een hotelreservering voor 3 april in Memphis op naam van Eric Starvo Galt die een adres in Birmingham, Alabama had opgegeven en in een witte Mustang reed. Galt had één nacht in het Rebel Hotel in Memphis gelogeerd, op 3 april. Via rijbewijsgegevens achterhaalde de politie dat Galt 36 jaar oud was, met een lengte van 1,77 en een gewicht van tachtig kilo. Galt had blond haar en blauwe ogen.

Ongeveer een week na de schietpartij werd Galts witte Mustang teruggevonden in Atlanta, Georgia. Doorzoeking van het voertuig bracht aan het licht dat Galt de auto twee keer had laten onderhouden in Los Angeles, Californië. Galt had enige tijd in Birmingham gewoond en door gesprekken met buren ontdekten rechercheurs dat Galt een zeer grote belangstelling had voor dansen en geregeld danslessen nam. Omdat sporen wezen op het feit dat Galt enige tijd in Los Angeles had doorgebracht, werd daar na het bezoek van dansscholen een belangrijk spoor gevonden: een foto van Eric Starvo Galt.

Na de ontdekking van Galts auto in Atlanta kwam het onderzoek enigszins vast te zitten en de FBI wendde zich voor hulp naar het eigen uitgebreide archief. De vingerafdrukken die waren aangetroffen op het geweer en de bezittingen van Galt, werden door FBI vergeleken met die van bekende vluchtelingen. De beslissingen om alleen vluchtelingen te nemen was, om met de FBI te spreken, 'speculatief'. Er was geen reden om aan te nemen dat Galt een gevluchte gevangene was, alleen mocht met een vrij grote mate van waarschijnlijkheid worden aangenomen dat de moord op King niet Galts eerste misdaad was. Het idee leverde resultaat op, toen de vingerafdrukken van Galt bleken overeen te komen met die van een ontsnapte veroordeelde die James Earl Ray heette.

De jacht op Ray

In korte tijd konden de autoriteiten moeiteloos Ray's omzwervingen sinds zijn ontsnapping natrekken. Dat gold ook voor de lange reizen naar Los Angeles, New Orleans, Birmingham, Memphis (vermoedelijk om King te vermoorden) en uiteindelijk naar Atlanta waar men het spoor weer bijster raakte. Ray's familie kon de autoriteiten niet veel verder helpen en beweerde al enige tijd niets van hem te hebben gehoord.

Gevangenen die Ray kenden, werden met weinig succes verhoord; ze vertelden van een prijs die op het hoofd van King was gezet, maar agenten waren niet in staat de bron daarvan te achterhalen. Een celgenoot zei tegen agenten dat Ray had verteld hoe gemakkelijk het was om een paspoort te krijgen op naam van een Canadees en dat hij na zijn ontsnapping naar Canada ging en vandaar naar het buitenland.

Gewapend met deze geringe informatie ging de zoektocht richting noorden. *'Hoewel de speurtocht te maken had met een onthutsend aantal aanvraagformulieren en was gebaseerd op de vergelijking van Ray's foto's met de foto's die waren ingediend met de formulieren, bleek het de benodigde doorbraak te zijn bij het op het spoor komen van Ray,'* onthult het officiële FBI rapport van de moord op Martin Luther King. Na meer dan 175.000 formulieren te hebben bekeken, nam de Royal Canadian Mounted Police op 1 juni 1968 contact op met de FBI om te rapporteren dat George Ramon Sneyd, die een opvallende gelijkenis vertoonde met Ray op 24 april 1968 een Canadees paspoort had gekregen. 'Sneyd' boekte een retourvlucht van Toronto naar Londen en vertrok op 6 mei naar het Verenigd Koninkrijk.

Aan weerszijden van de Atlantische oceaan gingen FBI-agenten en Scotland Yard verder met de jacht. De bobbies ontdekten dat 'Sneyd' het retourbiljet had ingewisseld voor een ticket naar Lissabon. 'Sneyd' arriveerde op 7 mei in Portugal, maar keerde op 17 mei naar Londen terug. Op 8 juni 1968 hielden Britse immigratiebeambten James Earl Ray aan, toen hij aan boord van een vliegtuig naar Brussel probeerde te stappen. De man die verdacht werd van de moord op Martin Luther King jr. was gearresteerd.

Nu Ray/Galt/Sneyd in Groot Brittannië in arrest zat, bereidde de regering van de Verenigde Staten een verzoek tot uitlevering voor. Ray verzette zich tegen de uitlevering en in wat de beste benadering van een rechtzaak zou zijn die James Earl Ray ooit zou krijgen, ontvingen de Britse gerechtshoven het bewijsmateriaal tegen hem. De Amerikanen presenteerden de feiten zoals hierboven opgesomd. Een man die was herkend als Ray kocht een geweer dat leek op – en waarschijnlijk hetzelfde was als – het geweer waarmee dr. King werd vermoord. Een man die was herkend als Ray huurde een kamer in het pension tegenover het Lorraine Motel. Men had hem van het pension zien wegrennen waarbij hij een pakket liet vallen dat een geweer bevatte dat zeer leek op – en waarschijnlijk hetzelfde was als – het geweer waarmee King werd vermoord. Zijn vingerafdrukken werden aangetroffen in een auto die leek op – en waarschijnlijk dezelfde was als – de auto die na het schieten snel wegreed uit de buurt. Zijn foto zat op een vals aanvraagformulier voor een paspoort. Ray zou minstens terug moeten naar de staat Missouri om de straf voor zijn gewapende overval uit te zitten.

Het verweer

Ray werd uitgewezen naar de Verenigde Staten en keerde snel terug naar Memphis waar hij in een speciaal gebouwde cel onder 24-uursbewaking werd geplaatst. Stalen platen waren voor de vensters van zijn cel geplaatst, waardoor het licht in zijn cel voortdurend moest branden. Ray had in Engeland geprobeerd F. Lee Bailey in de arm te nemen om zijn zaak in de V.S. te behandelen, maar Bailey weigerde. Toen wendde Ray zich tot Arthur J. Hanes sr., een advocaat uit Alabama die was opgetreden als gekozen hoofdcommissaris van Birmingham toen de beruchte Bull Connor daar hoofd van de politie was. Hanes had ook de mannen van de Ku Klux Klan verdedigd die waren beschuldigd van de moord op een vrouw uit Detroit die had deelgenomen aan burgerrechtenmarsen in Selma. Hanes, die een aanhanger was van George Wallace, werd weggestemd door de burgers van Birmingham die de stad wilden ontdoen van het racistische imago.

Een bekende racistische organisatie, het 'Patriotic Legal Aid Fund' uit Savannah, Georgia bood aan de kosten van Ray's verdediging te betalen, maar Hanes zei tegen Ray dat hij niets te maken wilde hebben met diens verdediging als het Patriotic Legal Aid Fund erbij was betrokken. In plaats daarvan vertelde Hanes tegen Ray van het aanbod van Huie om $ 40.000 te betalen – over te dragen aan zijn advocaten – wanneer Ray aan Huie zijn ware verhaal zou vertellen. In Londen had Ray daar al mee ingestemd en Hanes en zijn zoon Arthur jr. werden aangenomen als de enige juridische vertegenwoordigers van Ray.

Ray werd half juli met een straalvliegtuig van de Air Force naar Memphis teruggebracht. Een paar dagen later, na een privé-ontmoeting met Ray, kwam Hanes met deze verklaring: *'Van augustus 1967, toen hij in Montreal Raoul ontmoette, tot Kings dood heeft hij de aanwijzingen van Raoul gevolgd. ...Hij leverde het geweer aan Raoul en zat toen van ongeveer half vijf tot bijna zes uur beneden in Jim's Grill bier te drinken en op Raoul te wachten. Hij zegt dat het Raoul was die het schot afvuurde, de trap afrende, geweer en weekendtas weggooide en in de Mustang sprong waarin Ray zat te wachten, waarna ze samen wegreden.'*

Toen hem werd gevraagd of hij Ray's verklaring geloofde, zei Hanes: *'Ik hecht er enig geloof aan. Tenzij Ray helemaal achterlijk is, zie ik niet hoe hij de beslissing kon hebben genomen om King te doden. Voordat King werd gedood, had Ray het niet slecht... Waarom zou hij zijn vrijheid op het spel zetten door een beroemde man te doden en de politie van de hele wereld achter zich aan te krijgen? Ik moet geloven dat hij ofwel de moord niet pleegde of, als hij het wel deed, dat kwam omdat hij gevangen zat in een complot waar hij niet meer uit kon.'*

Nadat hij tien weken lang zonder resultaat had geprobeerd de beweringen van Ray te onderzoeken, ging Hanes met het slechte nieuws naar Ray. *'Met al het bewijs dat er tegen jou is, kun je nooit de rechtzaal in gaan met een niet-schuldig verweer zonder een doodstraf te riskeren,'* zei Hanes tegen Ray. *'De bevolking van Tennessee praat tegenwoordig een heleboel over recht en orde. Ze zijn al die misdaden beu. Dus zou dit wel eens het moment kunnen zijn dat ze besluiten de stoel weer te gebruiken.'* Hanes vertelde Ray dat hij in dit geval geen kans zag op een vrijspraak, wat Ray niet wilde horen. De eerlijkheid van Hanes tegenover zijn cliënt – die zijn advocaat niet echt veel informatie verstrekte – ontstemde Ray en het was slechts een kwestie van tijd voordat Arthur Hanes van de zaak werd gehaald.

In november ontsloeg Ray Hanes en nam de Texaan Percy Foremam aan voor zijn zaak. Foreman was een bijzonder kundige advocaat: tot 1958 had hij 778 mensen verdedigd die waren beschuldigd van moord. Eén was er geëxecuteerd, 52 kregen een gevangenisstraf. De resterende 705 werden vrijgesproken van de aanklacht. Tien jaar later had hij nog eens tweehonderd moordenaars verdedigd. Slechts één kreeg een levenslange gevangenisstraf.

Foreman besteedde dertig uur aan luisteren naar Ray en praten met Huie, wiens onderzoek details aan het licht had gebracht die zelfs de FBI waren ontgaan. Toen de datum van Ray's rechtzaak dichterbij kwam, ging Foreman met Ray om de tafel zitten. *'Ik neem aan dat je weet dat ik je hier niet uit kan halen?'*

'Ja, dat weet ik,' zei Ray tegen hem.

Foreman probeerde Ray ervan te overtuigen dat zijn zaak hopeloos was. *'Waarom zou je de rechtszaal in gaan?'* vroeg hij. *'Een verdachte in jouw positie moet nooit de doodstraf riskeren, tenzij er een kans op vrijspraak is. Jij maakt absoluut geen kans op een vrijspraak.'*

Het was geen geheim dat veel mensen in Memphis aan beide zijden van de discussie niet wilden dat Ray een rechtszaak kreeg. Een langdurig, kostbaar proces met racistische provocaties en etnische haat zou de reeds gespannen atmosfeer in de stad geen goed doen. Aanhangers van complottheorieën nemen aan dat een andere reden waarom niemand een rechtszaak wilde, was dat Ray dan ook niet in een openbare rechtszaal kon onthullen wat hij wist.

Uiteindelijk kon Foreman Ray overtuigen om schuld te bekennen. In zijn uitgebreide verklaring gaf Ray toe dat hij *'een schot afvuurde vanuit de badkamer op de eerste verdieping van het pension en dr. Martin Luther King, die op het balkon van het Lorraine Motel stond, dodelijk verwondde'*. Er werd vastgesteld dat Ray op maandag 10 maart 1969 in de rechtszaal van rechter Preston Battle schuld zou bekennen in ruil voor een gevangenisstraf van 99 jaar.

Ten overstaan van rechter Battle verklaarde Ray op die maandagochtend dat zijn schuldbekentenis zonder dwang was afgelegd en dat hij afzag van zijn recht op een proces. Hij gaf verder toe dat hij King had gedood, maar voegde eraan toe dat hij *'niet zei dat er geen complot was geweest, omdat dat wel het geval was geweest.'*

Diezelfde week schreef Ray op donderdag in de gevangenis van Nashville aan Battle: *'Ik wens het edelachtbare hof mede te dele dat de beroemde advocaat Percy*

Fourflusher uit Houston mij op geen enkele manier meer vertegenwoordigt. Mijn reden voor het schrijven van deze brief is dat ik een hoorzitting-na-veroordeling wil aanvragen...' Ray wilde zijn schuldbekentenis herroepen. De zaak doorliep de hele route tot aan het hooggerechtshof van de Verenigde Staten, maar James Earl Ray kreeg nooit een proces voor de moord op King.

Motief

Met uitzondering van Dexter King erkent zelfs de meest fervente complotaanhanger dat James Earl Ray minstens een rol speelde in de moord op Martin Luther King jr. De vraag die weinigen in staat waren met een zekere mate van geloofwaardigheid te beantwoorden is: Waarom? Was Ray's racistische haat van King en andere zwarten intens genoeg om een voordien geweldloze misdadiger tot een moord aan te zetten? Of was er een andere factor – of waren er andere factoren – in het spel?

Huie, wiens relatie met James Earl Ray op zijn best lastig was, denkt dat Ray King vermoordde en dat hij het deed om beroemd te worden. Huie citeert Ray's bijna neurotische obsessie om zijn foto te laten maken, omdat hij een spoor voor justitie wilde achterlaten zodra hij 'het gemaakt had'. Hij had met de ontsnapping uit Jefferson City niet op de lijst van de tien meest gezochte misdadigers kunnen komen en het smokkelen van drugs naar Canada en uit Mexico had van hem geen befaamde schurk gemaakt. Nadat hij Canada binnen was gekomen, had hij gemakkelijk een nieuw leven zonder misdaad kunnen beginnen, maar dat paste niet bij zijn persoonlijkheid. Een belangrijke, opmerkelijke misdaad zou hem een plaats in de geschiedenis opleveren en dr. Martin Luther King vermoorden paste daar prima in.

Zodra hij was gearresteerd en werd geconfronteerd met onoverkomelijk bewijsmateriaal, deed Ray het enige waarmee hij zijn huid kon redden: hij bekende schuld. Maar drie dagen later, toen hij besefte dat zijn faam sterk was afgenomen zodra hij was opgenomen in het gevangenissysteem van Tennessee en gewoon een nummer was geworden, probeerde Ray wanhopig om weer voor het voetlicht te treden. Omdat hij weinig anders te doen had dan naar de tralies van zijn cel staren, begon hij aan een strijd om 'zijn naam te zuiveren' die de rest van zijn leven in beslag zou nemen.

Toen die strijd uitliep op een nederlaag, deed hij het enige andere waarvan hij wist dat het hem in de publieke belangstelling zou brengen: hij probeerde te ontsnappen.

Maar voor anderen die de moord op King blijven bestuderen, is de theorie van Huie dat Ray werd gedreven door zijn ego, niet voldoende. Omdat Ray vaak internationale grenzen overstak en beschikte over een kennelijk onuitputtelijke hoeveelheid geld, is het gemakkelijk om met dit indirecte bewijs een zaak op te bouwen van een ruim gefinancierd complot om King te vermoorden. Sommigen voeren aan dat Fidel Castro achter de aanslag zat, omdat hij hoopte dat de dood van King aanleiding zou geven tot een soort algemene rassenoorlog in de Verenigde Staten. Anderen hebben verkondigd dat de georganiseerde misdaad achter de moord op King zat. Daar is echter geen bewijs voor en de maffia zet bij een afrekening gewoonlijk een eigen schutter in – geen ongeschikte, onervaren schutter als Ray.

In de FBI-dossiers is er bewijs te over te vinden dat Hoover en zijn collega's King op een minder eervolle manier wilden verwijderen uit de burgerrechtenbeweging, maar er bestaan geen openbare documenten waaruit zou blijken dat een functionaris een geweldsdaad tegen King opperde, overwoog of goedkeurde. Natuurlijk blijven nog veel documenten die betrekking hebben op de moord verzegeld, maar elke bewering dat Hoover of een andere hooggeplaatste FBI-functionaris een rol speelde in een moordcomplot, is puur speculatief en wordt niet ondersteund door tastbaar bewijsmateriaal.

President Johnson was niet gelukkig met het anti-oorlogsstandpunt van King, maar in april 1968 was Johnsons populariteit bij het Amerikaanse volk zo ver gedaald dat King vermoorden zijn herverkiezing niet zou hebben gered. Bobby Kennedy was als minister van Justitie bang geweest voor Kings zogenaamde pro-communistische neigingen, maar na een broer te hebben verloren aan een sluipmoordenaarskogel is het onwaarschijnlijk dat hij zijn toevlucht zou hebben genomen tot moord om een mogelijke rivaal uit te schakelen.

Maar hoe staat het met de radicalere partijen in de kwestie van de burgerrechten? De Ku Klux Klan aan de uiterste rechterzijde en de Black Panthers (slechts een van de vele radicale zwarte groeperingen) aan de linkerzijde? De Klan pleegde zeker moorden en waarschijnlijk wilde de Klan Martin Luther King jr. uit beeld en in het graf hebben, maar de Klan was sterk genoeg om iemand uit eigen gelederen te recruteren om King te doden. Ray was een racist; daar zijn bewijzen te over van, maar hij was geen lid van de KKK. En zoals uit zijn gevangenisdossier blijkt, was hij niet in staat of niet bereid met zwarten te werken, dus is het niet erg waarschijnlijk dat hij zou hebben ingestemd met het doden van King bij wijze van gunst aan de Black Panthers of de Invaders of het Student Non-Violent Coordinating Committee.

Gerard Posner besteedde echter veel tijd en moeite aan het achterhalen en bevestigen of proberen te bevestigen van veel complotscenario's voor zijn boek *Killing the Dream: James Earl Ray and the Assassination of Marten Luther King*. Onder de complotten die Posner onderzocht, was er één waarbij James Earl Ray en zijn dubbelganger waren betrokken die optraden als agenten voor de CIA.

Tien jaar na de moord op King en Robert Kennedy benoemde het congres een bijzondere parlementaire commissie om de moord op King en de twee Kennedy's te onderzoeken. Ray werd langdurig verhoord door privé-detectives, juristen van de commissie en journalisten. Hij werd twee keer onderworpen aan de leugendetector en beide keren met een negatief resultaat; de operators – één in dienst van de regering, de ander in dienst van Ray's advocaat – gaven los van elkaar aan dat Ray loog wanneer hem werd gevraagd of hij King doodde.

De commissie onderzocht elke complottheorie en verwierp ze vervolgens, maar werd bij het onderzoek ernstig belemmerd door het ontoegankelijk blijven van de top secret FBI-dossiers. Walter Fauntroy, een lid van de speciale parlementaire commissie voor sluipmoorden die in de jaren zeventig van de vorige eeuw het onderzoek naar de moord op King heropende, heeft herhaaldelijk gezegd dat hij niet tevreden was met het onderzoek, omdat hij vond dat het te snel werd afgesloten zonder dat de complottheorieën volledig waren onderzocht.

'We hadden niet de tijd om sporen te onderzoeken die we hadden gevonden maar niet konden volgen,' zei Fauntroy.

De commissie 'ontdekte dat (Ray's advocaat) bereid was complottheorieën te steunen zonder de feitelijke basis ervoor te hebben gecontroleerd'. Bovendien, concludeerde het rapport, vuurde James Earl Ray 'één schot op dr. Martin Luther King jr. af. Het schot doodde dr. King.' Het rapport betekende echter niet het einde van de complottheorieën. Na een intensief openbaar alsook besloten onderzoek kwam de parlementaire commissie tot de slotsom dat ofschoon 'geen federale, staats- of plaatselijke overheidsinstelling was betrokken bij de moord op dr. King... op basis van indirect bewijsmateriaal... een complot aannemelijk blijft'.

Posner is van mening dat de advocaat John Sutherland uit St. Louis die een prijs van $ 50.000 op het hoofd van King had gezet, het complot organiseerde. Ray hoorde in de gevangenis van de prijs die Sutherland had uitgeloofd en sprak er met andere veroordeelden over. De parlementaire commissie vond dezelfde motivatie voor Ray's daad.

Jowers

De moord op King haalde in 1993 weer de krantenkoppen toen Lloyd Jowers, een 67-jarige voormalige eigenaar van Jim's Grill, een restaurant met uitzicht op het Lorraine Motel, in ABC's Prime Time Live beweerde dat hij geld had ontvangen om deel te nemen aan een complot om King te doden. In dat interview beweerde Jowers dat gangsters hem $ 100.000 hadden geboden voor de dood van King en dat hij de misdaad had voorbereid en een andere sluipmoordenaar dan Ray in de arm had genomen. Hij noemde een plaatselijke zakenman en een politieagent als medeplichtigen en voegde eraan toe dat hij tot na de aanslag niet had beseft dat King het doelwit was.

Jowers deed vervolgens een beroep op het recht tegen zelfbeschuldiging uit het vijfde amendement en weigerde verder te praten over zijn vermeende rol in de aanslag. Zijn advocaat beschreef Jowers als 'een radertje in een heel groot geheel'.

Hoewel Lloyd Jowers weigerde samen te werken met de autoriteiten, bracht de opwinding over zijn uitlatingen de officier van justitie van Shelby County ertoe een onderzoek te openen naar de bewering van de restauranthouder. De onderzoekers hadden niet veel tijd nodig om Jowers te ontmaskeren en vast te stellen dat hij geen deel uitmaakte van een complot. Ook Gerald Posner deed onderzoek naar Jowers en ontdekte dat hij anderen had gevraagd zijn verhaal te bevestigen in ruil voor een deel van een honorarium van $ 300.000 voor een Hollywoodfilm.

De familie King ging echter meteen in op het verhaal van Jowers. De familie had zich nooit kunnen neerleggen bij de conclusie van de FBI dat Ray alleen had gehandeld en de Kings daagden Jowers meteen voor een burgerlijk gerechtshof voor de onrechtmatige dood van Martin Luther King jr. In 1999 kwam de zaak voor de rechter en de familie King won en kreeg een schadevergoeding toegekend van $ 100. Het was hun nooit om geld te doen geweest, verklaarden vertegenwoordigers van de familie. *'Als wij de waarheid kennen, kunnen we onbelemmerd door-*

gaan met ons leven,' getuigde Coretta Scott King.

De belangrijkste reden waarom de Kings de zaak wonnen, was omdat Jowers de aanklacht niet bestreed en zich niet verdedigde. In plaats daarvan kregen de gezworenen een videoband te zien van zijn interview met Sam Donaldson en verder hoorden ze geen woord van Jowers zelf. Een van de belangrijkste getuigen van de aanklager was de tv-jurist rechter Joe Brown die een getuigenis aflegde over de ballistische proeven die waren gedaan met het Remington geweer dat was aangetroffen in de buurt van de plaats van de misdaad. Brown is geen ballistisch deskundige, maar was de rechter bij een van Ray's gerechtelijke procedures om een nieuw proces te krijgen.

Een andere getuige van de aanklager, de in New York gevestigde advocaat en mediadeskundige William Schaap opperde voor de gezworenen de mogelijkheid dat de media waren betrokken bij een grootscheepse poging de moord op King in de doofpot te stoppen. Volgens Schaap had de FBI onder J. Edgar Hoover kranten in de hele wereld geïnfiltreerd en in de jaren zestig kranten overgehaald artikelen te plaatsen die King in diskrediet brachten. Schaap was ook van mening dat de regering achter de geruchten zat die de complottheorieën na de moord op King ongeloofwaardig maakten.

Conclusie

Er is voldoende informatie over James Earl Ray om verschillende boeken te vullen en dan zou er nog over zijn. Uiteindelijk kreeg hij kennelijk wat hij wilde: roem.

Elke keer als hij dacht definitief geschiedenis te worden, slaagde Ray erin om weer grote koppen op de voorpagina van de landelijke dagbladen te krijgen. Een groep zwarte veroordeelden staken hem in de gevangenis met messen – maar de wonden waren oppervlakkig en Ray bleek te hebben betaald voor de aanslag. Aanklager William Pepper slaagde erin op HBO een schijnproces tegen James Earl Ray te voeren – een debacle waarin zo snel en slordig met de feiten werd omgesprongen dat het etiket fictie van toepassing is. Het lukte hem de familie van Martin Luther King ervan te overtuigen dat Ray onschuldig was aan de dood van de burgerrechtenleider.

James Earl Ray overleed in 1998 in de Brushy Mountain State Prison in Tennessee aan leverinsufficiëntie. Hij nam de reden voor zijn daden met zich mee het graf in. Of iemand anders al dan niet een rol speelde in de dood van King doet niets af aan het feit dat James Earl Ray het schot afvuurde dat Martin Luther King jr. doodde. Wat Ray niet kon en wat niemand ooit zal kunnen, is uitwissen wat King heeft nagelaten.

5.

JOHN LENNON

Verklaring van Chapman

'Toen ging ik vanochtend naar de boekwinkel en kocht The Catcher in the Rye (Ned.: Puber/De vanger in het graan). Ik weet zeker dat het grootste deel van mij Holden Caulfield is, de hoofdpersoon uit het boek. Het kleinere deel van mij moet de duivel zijn. Ik ging naar het gebouw. Het heet de Dakota. Ik bleef daar tot hij naar buiten kwam en vroeg hem mijn plaat te signeren. Op dat moment won mijn grote deel en ik wilde teruggaan naar mijn hotel, maar ik kon het niet. Ik wachtte tot hij terugkwam. Hij kwam in een auto. Yoko kwam eerst voorbij lopen en ik groette haar, ik wilde haar niet kwetsen. Toen kwam John en keek me aan en prentte mij in. Ik haalde het pistool uit mijn jas en schoot op hem. Ik kan niet geloven dat ik dat kon doen. Ik stond gewoon daar het boek vast te houden. Ik wilde niet wegrennen. Ik weet niet wat er met het pistool is gebeurd. Ik herinner me dat Jose het wegtrapte. Jose huilde en zei dat ik alsjeblieft weg moest gaan. Ik had zoveel mede-lijden met Jose. Toen kwam de politie en die zei dat ik mijn handen tegen de muur moest zetten en deed me handboeien om.' Verklaring van Mark David Chapman tegenover de politie, 9 december 1980 om 1 uur 's nachts, drie uur na de moord op John Lennon

'En ik zal niet in beroep gaan tegen welke beslissing u ook neemt. Als het een beslissing is om me hier in de gevangenis te houden, zal ik nu niet en nooit in beroep gaan. Ik zou graag in de gelegenheid worden gesteld mijn verontschuldigingen aan te bieden aan mevrouw Lennon. Ik heb erover nagedacht hoe het die nacht daar voor haar moet zijn geweest, om het bloed te zien, het geschreeuw te horen, de hele nacht op te zijn met de Beatlemuziek die door *haar raam klonk.*

En er is iets anders dat ik wil zeggen. Ik heb het gevoel dat ik John Lennon nu niet als een beroemdheid zie. Toen wel. Ik zag hem als een kartonnen pop op een platenhoes. Ik was erg jong en dom en je laat je meeslepen door de media en de platen en de muziek. En nu heb ik kunnen begrijpen dat John Lennon een mens was. Dit heeft niets te maken met het feit dat hij een Beatle of een beroemdheid of bekend was. Hij ademde en ik doodde hem en om die reden denk ik niet dat ik het recht heb om hier op mijn benen te staan en, nou ja, iets te vragen. Ik heb geen been om op te staan, omdat ik dat van hem onder hem vandaan sloeg en hij doodbloedde. En het spijt me dat het ooit is gebeurd.

En ik wil weer over mevrouw Lennon praten. Ik kan me geen voorstelling maken van haar verdriet. Ik kan het niet voelen. Ik heb geprobeerd te bedenken hoe het zou zijn als iemand mijn familie kwaad deed en dat is gewoon niet goed te maken en ik moet de rest van mijn leven in de gevangenis blijven voor het verdriet van die ene persoon, alle anderen tellen even niet mee, alleen het verdriet van die ene persoon, dat wil ik.

Nog eens, ik zeg die dingen niet om... om u op de een of andere manier te laten overwegen mij te laten gaan. Ik zeg ze, omdat ze echt gemeend zijn en het overkwam mij en ik voelde haar verdriet en ik kan oprecht zeggen dat ik het tot dat moment niet wilde voelen. Het is echt vreselijk, weet u, om te beseffen wat je hebt gedaan.' Verklaring van Mark David Chapman tegenover de reclasseringscommissie van New York op 3 oktober 2000

Twee Marken

Mark David Chapman huist alleen in een cel van 1,80 x 3 meter in het Attica Correctional Institution in de buurt van Buffalo, N.Y. hij is een modelgevangene en kennelijk niet meer onder de invloed van de demonen die hem in 1980 opdroegen zijn voormalige held – John Lennon, de legendarische oprichter van de Beatles – te doden. Minder opvallende misdadigers zouden nu misschien zijn vrijgekomen, maar Chapman maakt weinig kans op een voorwaardelijke vrijlating. Zijn verzoek daartoe werd op 5 oktober 2004 voor de derde keer afgewezen, ondanks het feit dat hij volgens de reclasseringscommissie een 'voorbeeldig gedrag' had vertoond. De beslissing was deels gebaseerd op de vele dreigementen om hem te vermoorden als hij werd vrijgelaten. In Attica is hij voor zijn eigen bescherming onderworpen aan eenzame opsluiting; voor sommige van zijn medegevangenen was Lennon misschien ook een held.

Dus lijkt Chapman die binnenkort vijftig wordt, te zijn gedoemd tot een leven in zijn kleine cel. Zijn vrijlating zou ironisch genoeg een doodsvonnis zijn.

Hij is nauwelijks psychiatrisch behandeld, behalve na twee gewelddadige voorvallen in het begin van zijn gevangenschap. Dat is een gevolg van zijn eigen beslissing om tegen de krachtige bezwaren van zijn advocaten in schuld aan de moord te bekennen. Zijn advocaten waren ervan overtuigd dat hij ontoerekeningsvatbaar zou worden verklaard, in welk geval hij zou worden opgenomen in een psychiatrische kliniek.

Hij kan weinig anders doen dan lezen, tv kijken en nadenken over zijn daad van een kwart eeuw geleden en de gebeurtenissen uit de eerste vijfentwintig jaren van zijn leven die tot die daad hadden geleid.

Hij analyseert zichzelf als een psychoanalyticus wat nauwelijks verrassend is, aangezien hij na zijn arrestatie honderden uren lang werd ondervraagd door psychiaters. Negen waren bereid op zijn proces te getuigen. Hij vertelde de reclasseringscommissie dat hij dacht de laatste paar jaar verlost te zijn van de demonen die hem het grootste deel van zijn leven hadden gekweld.

Gedurende de eerste zes jaar in Attica wees hij alle verzoeken voor interviews af. Hij zei dat hij geen voedsel wilde geven aan het idee dat hij Lennon had gedood om zelf een beroemdheid te worden. Maar later vertelde hij James R. Gaines zijn verhaal van de moord en zijn verwarde jeugd. Gaines maakte van de interviews een driedelige serie van 18.000 woorden voor het tijdschrift People in februari en maart 1987. Chapman vertelde de reclasseringscommissie dat het een interview was *'dat ik betreur'*.

Chapman gaf later een serie interviews aan Jack Jones van de Democrat and Chronicle uit Rochester, N.Y. In 1992 publiceerde Jones een boek: *Let Me Take You Down: Inside the Mind of Mark David Chapman, the Man Who Killed John Lennon.* In 2000, vlak voor zijn eerste verzoek tot een voorlopige vrijlating, vroeg Jones aan Chapman om zijn verhaal te vertellen voor 'Mugshots', een programma voor CourtTV Network. Chapman weigerde voor de camera's te verschijnen, maar na erover gebeden te hebben was hij bereid zijn verhaal op een serie audiotapes te vertellen. Hij vertelde de reclasserings- commissie dat het programma *'veel uit de context had gehaald, maar dat was niet erg'.*

Over de interviews van Jones ging hij verder: *'Die drie uur waren echt geweldig, omdat ik echt in staat was – het leek bijna op een biecht. Ik kon waarschijnlijk echt voor het eerst mijn verantwoordelijkheid hierin aanvaarden en ik vertelde hem dat ik niets verdiende. En dat was het belangrijkste deel van het interview en daar kwam helemaal niets van terug.'* Veel van wat over Chapman na zijn arrestatie werd gemeld, is tegenstrijdig. Dat geldt ook voor enkele van de dingen die hij Gaines en Jones vertelde. En eigenlijk geldt het ook voor Mark Chapman. In zijn eerste twee jaar op de middelbare school gebruikte hij drugs, spijbelde en liep van huis weg om twee weken lang op straat te wonen. In zijn laatste twee jaar was hij een wedergeboren christen die bijbeltraktaten uitdeelde.

Hij kon opvliegend en wraakzuchtig zijn. Zijn twee korte pogingen op de universiteit mislukten. Hij werd verschillende keren ontslagen. Maar toen verslaggevers na de moord op John Lennon kwamen informeren, beschreven velen die hem kenden een heel andere Mark. Zijn zangleraar van de middelbare school zei: *'Van de 400 leerlingen die ik heb lesgegeven, zou Mark de laatste zijn om zoiets te doen.'*

Degenen die hem in de verzorgende beroepen kenden, noemden hem zonder uitzondering een voortreffelijke werker. Als begeleider van een YMCA zomerkamp voor tieners werd hij door de jongeren verafgood. *'We hebben hem assistent-leider van het zomerkamp gemaakt, omdat hij echte leiderskwaliteiten had,'* zei Tony Adams die uitvoerend directeur van de YMCA afdeling was. *'Als er ooit een persoon was die het in zich had om goed te doen, dan was Mark het.'*

Later was hij even succesvol met Vietnamese vluchtelingen in een opvangkamp. *'Vooral met de kinderen,'* herinnerde een collega zich. *'Hij was net de rattenvager van Hamelen.'* Hij werd de rechterhand van de kampleider en begeleidde hem naar vergaderingen met regerings-functionarissen. Hij kreeg een hand van president Gerald Ford.

Toen hij na een zelfmoordpoging in het ziekenhuis lag, begon hij al gauw andere patiënten op te vrolijken. Toen hij naar huis mocht, nam het ziekenhuis hem in dienst. Zijn chef herinnerde zich: *'Alle patiënten en vooral de ouderen met wie niemand wilde praten, waren dol op die jongen en ik kan alleen maar goeds over hem vertellen.'*

Toen het moment op trottoir tegenover Central Park kwam, bad de 'goede' Mark tot God om de kracht te vinden weg te lopen. De 'slechte' Mark bad tot de duivel om de kracht te vinden 'het te doen, het te doen'. De duivel won.

Een moeilijke jeugd

Mark David Chapman werd op 10 mei 1955 bij Fort Worth in Texas geboren als het eerste kind van David en Diane Chapman. Zijn vader was stafonderofficier bij de lucht-macht, zijn moeder was verpleegster.

Kort na Marks geboorte werd zijn vader uit de dienst ontslagen en meldde zich aan bij de Purdue University, waar hij de GI Bill benutte om techniek te studeren. Hij verhuisde naar Decatur in Georgia, een voorstad van Atlanta, en kreeg een baan op de kredietafdeling van American Oil Co. Toen Mark zeven was, werd zijn zus Susan geboren.

Zijn jeugd, zoals hij die beschrijft aan psychiaters, was ongelukkig. Hij was zo'n jongen die andere kinderen moesten hebben. Hij was geen goede atleet. Andere jongens noemden hem 'Pussy'. Hij viel terug op denkbeeldige vrienden. Zijn biograaf Jack Jones vertelde hij: *'Ik fantaseerde vaak dat ik koning was met al die Kleine Mensjes om me heen die in de muren woonden. En dat ik hun held was en elke dag in de krant stond en op de tv kwam, hun tv, en dat ik belangrijk was. Allemaal vereerden ze me, weet je. Ik kon niets verkeerds doen.'* Wanneer hij zijn onderdanen amusement wilde bieden, hield hij concerten voor hen door platen te draaien. Zijn en hun favorieten waren de Beatles.

Hij was niet altijd goed geluimd. *'En soms als ik kwaad werd, blies ik er een paar op. Ik had dan zo'n drukknop-ding, een deel van de sofa, en dan werd ik kwaad en blies een stuk van de muur op en dan gingen er een heleboel dood. Maar het volk zou me dat vergeven, weet je, en dan werd alles weer normaal. Dat is heel lang mijn fantasie geweest.'*

Volwassenen beschouwden hem als een normale jongen. Zijn IQ was 121, ruim boven het gemiddelde. Hij had dezelfde interesses als andere jongens van zijn leeftijd: raketten, UFO's en natuurlijk de Beatles waarvan hij eindeloos de platen draaide. Hij keek uit naar de jaarlijkse vertoning van 'The Wizard of Oz' op de tv.

Maar innerlijk, vertelde hij tegen psychiaters, leefde hij in angst voor zijn vader die volgens zijn zeggen zijn moeder sloeg. Hij vertelde Gaines: *'Ik werd soms wakker en hoorde mijn moeder mijn naam schreeuwen en dat maakte me doodsbang en dan rende ik naar binnen en liet hem weggaan. Soms duwde ik hem gewoon weg, geloof ik.'* Hij fantaseerde over het kopen van een pistool om zijn vader neer te schieten.

Hij vertelde psycholoog Lee Salk dat zijn vader hem nooit de liefde of emotionele steun gaf die hij nodig had. *'Ik geloof niet dat ik mijn vader ooit heb omhelsd. Hij heeft nooit tegen me gezegd dat hij van me hield. Hij was een van die mannen die nooit zei dat het hem speet.'* Dit was niet de indruk die anderen hadden. Zij merkten op dat David Chapman leider was bij de scouts. Hij gaf gitaarles op de YMCA en leerde zijn zoon spelen. *'Ik zou zeggen dat het een erg gelukkig gezin was,'* vertelde YMCA-directeur Adams tegen verslaggevers. *'En Mark was een gelukkige, aangepaste jongen.'*

Ook Diane Chapman nam het op voor haar echtgenoot, hoewel ze toegaf dat hij haar af en toe sloeg. Ze vertelde Gaines dat een buurman opmerkingen maakte over de tijd die David in de tuin met Mark doorbracht. *'Feit is dat Dave al die jaren voor een verdraaid goed dak boven ons hoofd zorgde en ik zou zeggen dat hij een betere ouder voor Mark was dan ik,'* zei ze. *'Dave toont inderdaad zijn emoties niet, maar hij zou alles voor Mark doen.'*

Toen hij veertien was en in de eerste klas van de Columbia High School in Decantur zat, veranderde Mark ineens. Hij begon marihuana en heroïne te gebruiken, liet zijn haar groeien, luisterde niet naar zijn ouders, spijbelde en ging laat uit met zijn nieuwe drugs gebruikende vrienden. Hij werd een keer door de politie opgepakt toen hij onder de invloed was van LSD.

Toen zijn moeder hem opsloot in zijn kamer, haalde hij de deur uit de hengsels, liep het huis uit en verbleef de volgende week in het huis van een vriend. Later liep hij van huis weg en leefde in Miami twee weken op straat tot een man die hem in huis had gehaald een buskaartje terug naar Decatur voor hem kocht.

Zijn rebelse periode eindigde even snel als hij was begonnen. Toen hij 16 was, verscheen een evangelist uit Californië in de stad. Mark ging naar een van zijn bijeenkomsten en beleefde een ontroerende religieuze ervaring. Zijn vriend Newton Hendrix kon niet geloven dat hij zo was veranderd. De oude Mark droeg *'lang haar, oude legerjacks, een groene jagersjas, dat soort dingen. Nu was hij kalmer, sprak zachter, zijn haar was kort. Hij droeg nog wel de lange jas en een paar van die dingen, maar hij had nu steeds een groot houten kruis om zijn nek.'*

Al gauw was Mark religieuze traktaten aan het uitdelen. Hij vond zijn eerste vriendin, een andere wedergeboren christen die Jessica Blankenship heette. Zijn schoolprestaties werden beter. En hij wijdde zich aan de YMCA van de South De Kalb County. Hij was een begeleider in het YMCA zomerkamp. *'Mark was een rattenvanger van Hamelen met de kinderen,'* zou Adams acht jaar later zeggen. Adams herinnerde zich Mark als *'een knul die op een knie zat om een kind te helpen of die kinderen om zijn nek had hangen en overal door ze werd gevolgd.'* De kinderen noemden hem 'Nemo,' blijkbaar naar de figuur van Jules Verne. Toen Chapman de prijs kreeg van de uitmuntende begeleider in het kamp, gingen de kinderen staan en scandeerden: *'Ne-mo, Ne-mo, Ne-mo!'*

Twee andere gebeurtenissen beïnvloedden de wedergeboren Mark. Toen John Lennon werd geciteerd die had gezegd: *'We zijn nu populairder van Jezus Christus,'* werd hij razend op zijn vroegere held. Chapman en zijn christelijke vrienden zongen Lennons 'Imagine' met een nieuwe tekst: *'Imagine John Lennon is dead.'* Chapman koos Todd

Rundgren als zijn nieuwe muziekheld.

Bovendien beval zijn vriend Michael McFarland hem een boek aan: J.D. Salingers roman *The Catcher in the Rye (De vanger in het graan)*. Het is het verhaal van een onzekere tiener die radeloos door de ontdekking dat zijn wereld lijkt te bestaan uit bedriegers, wegloopt om door New York te gaan zwerven.

De verwarde jongen droomt van een andere wereld waarin hij zou kunnen passen. Dan zie ik steeds die kleine kinderen in het koren spelen en zo. Meer dan duizend kinderen en verder geen grote mensen in de buurt, behalve ik natuurlijk. En dan sta ik aan de rand van een krankzinnige afgrond. Wat ik moet doen, is ze opvangen als ze in de afgrond beginnen te vallen, als ze rennen zonder te kijken waar ze lopen, moet ik ergens vandaan komen en ze opvangen. Dat is alles wat ik de hele dag zou doen. Ik zou gewoon de vanger in het graan zijn.

Mark Chapman had Holden Caulfield ontmoet. Of was het omgekeerd?

Ontsnapping naar het paradijs

Na het eindexamen op Columbia High gingen Chapman en McFarland voor een poosje naar Chicago. Ze draaiden een komedie in elkaar die ze speelden in kerken en christelijke nachtclubs; Chapman speelde gitaar en McFarland deed imitaties.

Ze lieten hun ambitie om verder te gaan in de showbusiness snel los. Terug in Georgia deed Chapman wat karweitjes bij de YMCA. In de herfst ging hij parttime studeren aan het South De Kalb Community College in de hoop uiteindelijk een diploma te halen dat een carrière bij de YMCA mogelijk zou maken. Zijn verwachtingen raakten hoger gespannen toen hij een van de sollicitanten was die werd geselecteerd om een zomer deel te nemen aan het internationale programma van de YMCA.

Hij werd naar Libanon gezonden, maar kwam al gauw midden in de burgeroorlog terecht. Het personeel van YMCA werd geëvacueerd en Chapman kreeg aan andere functie aangeboden waarbij hij moest werken met Vietnamese vluchtelingen in een opvangkamp in Fort Chaffee, Arkansas.

Al gauw werd hij voor de Vietnamese kinderen een even grote held als hij in de YMCA zomerkampen was geweest. Hij werd benoemd tot gewestelijk coördinator en werd een belangrijke assistent van David Moore, de directeur van het programma. In 1980 zou Moore tegen journalisten zeggen: *'Hij was heel zorgzaam voor de vluchtelingen en hij werkte zich uit de naad om alles precies goed te doen. Hij was een superknul.'*

Maar het opvangprogramma was iets van de korte termijn en werd weldra afgesloten. In een verhaal in het tijdschrift New York in 1981 geeft Craig Unger een gesprek van de laatste dag weer zoals een van zijn collega's zich dat herinnerde. *'We komen allemaal weer bij elkaar,'* zei Chapman volgens Rod Riemersma. *'Op een dag zal één van ons iemand zijn. Over een jaar of vijf zal een van ons iets roemruchts doen en dat zal ons allemaal bij elkaar brengen.'* Unger voegt eraan toe: *'Het was december 1975.'*

Jessica Blankenship had Mark in Fort Chaffee opgezocht en ze hadden samen gepraat over een huwelijk. In het voorjaar voegde hij zich bij haar als student aan het Covenant College, een streng Presbyteriaanse universiteit in Lookout Mountain, Tennessee. Ze studeerden elke avond samen.

Maar Chapman ontdekte dat hij steeds verder achterraakte met zijn studie. Hij werd ook verteerd door schuld, omdat hij zich had laten verleiden door een vrouwelijke kampwerker in een motel in de buurt van Fort Caffee, een zonde die hij niet aan de kuise Jessica durfde op te biechten. Zijn depressie werd dieper.

Later zou hij Jones vertellen dat dit het begin was van de zelfmoordgedachten die hem de volgende vier jaar zouden plagen. Ooit had hij succes geboekt bij de YMCA, was hij geselecteerd voor uitzending naar het buitenland, was hij gewestelijk coördinator geweest voor het Vietnamese programma. Nu was hij een mislukkeling. Hij was een nul. *'En toen ik dat onder ogen moest zien, ging ik vanbinnen stuk,'* zei hij tegen Jones. *'Ik viel in een zwart gat.'*

Hij stopte aan het eind van het semester op Covenant College. Jessica verbrak hun verloving. Hij keerde terug naar Decatur en was weer assistent-leider van het zomerkamp, maar stopte binnen een maand na een ruzie met de zwemleider. Op voorstel van zijn vriend Dana Reeves werd hij bewaker. Hij kon promotie maken, maar weigerde, omdat hij bang was voor de verantwoordelijkheid. Hij werd steeds opvliegender.

Aanvankelijk deed hij het werk ongewapend, maar hij volgde een cursus van een week wat hem de bevoegdheid van bewapende bewaker opleverde; hij scoorde 80 op het pistool, ruim boven de 60 om te slagen.

Intussen vond hij in een bibliotheek een kaart van Hawaï. Hij zat eroverheen gebogen en droomde over het paradijselijke eiland. In januari 1977 stapte Chapman aan boord van een vliegtuig naar Honolulu. Hij zou zijn spaargeld – $ 1200 – gebruiken voor een enkele reis met het vliegtuig en een laatste uitspatting in het paradijs. Dan zou hij een eind aan zijn leven maken.

Een wonder gaat in rook op

Vijf dagen lang leefde Mark David Chapman als een rijke toerist. Hij schreef zich in bij het Moana Hotel, dronk mai tais in de bar, lag te zonnen op de stranden en voer langs de eilanden. Het leven in het paradijs was goed, te goed om er zo snel een eind aan te maken. Hij verhuisde naar een goedkope YMCA kamer om langer met zijn geld te kunnen doen. En hij begon over thuis te denken.

Hij belde Jessica, zijn ex-verloofde. Hij vertelde haar dat hij van plan was geweest er een eind aan te maken, maar wilde blijven leven. Hij smeekte haar hem te vertellen dat ze nog steeds van hem hield en dat hij naar huis moest komen. Jessica was bang dat zij verantwoordelijk zou zijn voor zijn zelfmoord en zei: 'Kom gewoon naar huis.'

Hij kocht weer een vliegticket enkele reis (naar Atlanta) en kwam tot de ontdekking dat Jessica uit medelijden had gehandeld. Hij maakte ruzie met zijn ouders en trok kort in een hotel. Toen stopte hij zijn laatste spaargeld in zijn derde vliegticket enkele reis (weer naar Hawaï). Het was mei 1977.

Zwaar drinkend woonde hij bij de YMCA als hij geld had verdiend met wat slecht betaalde baantjes. Verder huisde hij op straat. De euforie die hij bij zijn eerste bezoek had gevoeld, maakte plaats voor wanhoop. Hij praatte uren over de telefoon met zelfmoordhulplijnen.

Uiteindelijk ging hij van zijn laatste geld een steak met bier eten, huurde een auto en kocht een stofzuigerslang. Hij reed naar een verlaten strand. Daar schoof hij het ene uiteinde van de slang in de uitlaat, legde het andere uiteinde in de auto en sloot de raampjes. Met draaiende motor sloot hij zijn ogen en zakte weg in bewusteloosheid. Hij werd versuft, maar verbazingwekkend genoeg levend wakker. Een Japanse visser tikte op zijn raampje om zich ervan te vergewissen dat het goed met hem was. Hij ontdekte dat de plastic stofzuigerslang in de uitlaat was gesmolten. Hij vertelde Jones dat de visser was verdwenen toen hij zich omdraaide. Was hij, vroeg Chapman zich af, een door God gezonden engel. Hij bad vurig voor genade om gebruik te maken van de nieuwe kans die God hem had geboden.

Toen een nabijgelegen psychiatrische kliniek de volgende ochtend openging, was Chapman er. Een psychiater luisterde naar zijn verhaal en bracht hem naar het Castle Memorial Hospital, waar hij onder bewaking werd gesteld.

Binnen een week was zijn depressie over, speelde hij gitaar en zong voor andere patiënten. Nog een week later ontsloeg het ziekenhuis hem, nadat hij een baantje had gevonden in een nabijgelegen benzinestation.

In zijn vrije tijd was hij vrijwilliger in het ziekenhuis. Zijn therapeuten die blij waren met zijn herstel en zijn omgang met de patiënten, namen hem in dienst voor onderhoudswerk.

Zijn chef, Leilani Siegfried, zou later tegen journalisten zeggen: *'Hij was heerlijk om mee te werken. Hij probeerde ons zo ter wille te zijn. En hij was zo aardig voor oudere mensen. Hij speelde Hawaïaanse liedjes voor hen op zijn gitaar en had aandacht voor hen die ze van anderen niet kregen. Sommigen van hen hadden jarenlang met niemand gesproken, maar ze begonnen weer toen Mark wat aandacht voor hen had.'*

Hij ging om met artsen en verpleegsters die hem behandelden als een collega. Hij vond woonruimte bij een Presbyteriaanse predikant. In het voorjaar van 1978 kon hij zichzelf weer beschouwen als een succes en niet als een mislukkeling.

Zoals hij ooit had gedroomd van Hawaï, zo droomde hij nu van een bezoek aan het Verre Oosten. Hij ontdekte dat hij geld kon lenen van de kredietunie van het ziekenhuis en zes weken verlof kon krijgen. En hij begon te praten met een reisagent, een Japans-Amerikaanse vrouw die Gloria Abe heette.

Chapmans plannen kregen een vastere vorm, net als de relatie. In juli zwaaide Gloria hem uit voor wat een reis rond de wereld was geworden. Met zijn YMCA connecties kon hij goedkoop of gratis onderdak krijgen en zo bezocht hij Japan, Korea en China dat net zijn grenzen voor westerlingen had geopend. Hij ging naar Thailand, India, Iran, Israël en vervolgens Genève waar hij logeerde bij zijn oude YMCA baas David Moore. Zijn laatste halteplaats was Atlanta voor een bezoek aan zijn ouders en oude vrienden.

Gloria Abe wachtte hem op bij zijn terugkeer in Honolulu. Spoedig brachten de twee het grootste deel van hun vrije tijd samen door. Op aandringen van Mark bekeerde zij zich van het boeddhisme tot het christendom.

In januari 1979 maakten ze een wandeling over het strand toen Mark bleef staan om iets in het zand te schrijven. Gloria las: *'Wil je met mij trouwen?'* Ze schreef: *'Ja!!!'* Het was, zei ze later, *'de mooiste dag van mijn leven, nog mooier dan de huwelijksdag. Hij droeg me op zijn rug over het strand en we waren zo gelukkig.'*

Het huwelijk vond plaats op 2 juni. Mark wilde graag meer verdienen en kon een paar maanden later bij Castle Memorial een baan als drukker krijgen. Nu werkte hij alleen en had geen omgang meer met personeel en patiënten. Zijn slechte humeur kwam terug. Hij kreeg ruzie met de baas van Gloria op het reisbureau en liet haar ontslag nemen en een andere baan zoeken. Hij werd ontslagen bij het ziekenhuis. Nadat hij opnieuw was aangenomen, kreeg hij bijna slaande ruzie met een verpleegster en nam ontslag.

Hij vond een baan als nachtwaker bij een flatgebouw met luxueuze appartementen en begon weer zwaar te drinken. Hij ontwikkelde de eerste van een reeks obsessies, deze betrof kunst. Hij kocht voor $ 2500 een schilderij van Salvador Dali, vervolgens bracht hij dat terug en kocht een Norman Rockwell voor $ 7500, deels met geld dat hij van zijn moeder had geleend.

Op 13 maart 1980 – hij tekende de datum op de kalender in zijn appartement aan – begon hij aan een nieuwe obsessie: uit de schulden raken. Hij beknibbelde en spaarde en dwong Gloria om ook te beknibbelen en te sparen. En urenlang maakte hij plannen met adviseurs uit het verleden. De Kleine Mensjes waren terug.

Naar de rand en terug

Op 15 augustus hadden Mark en Gloria hun doel bereikt. Ze waren schuldenvrij. Maar nog steeds voelde Mark een ondragelijke druk, een druk die hij niet kon omschrijven. Nu volgden zijn obsessies elkaar nog sneller op. Hij deed zijn platen van de hand, stroopte toen de platenzaken af om ze te vervangen en verkocht toen zijn nieuwe collectie. Hij kocht nieuwe luidsprekers voor zijn stereo, maakte toen zijn draaitafel kapot en sloeg hem aan barrels. Na het zien van de film 'Network' ging zijn tv het huis uit.

Hij verpeste het leven van de trouwe Gloria. *'De enige plaats waar je wat privacy had was het toilet,'* vertelde ze Gaines, *'en vaak ging ik er 's nachts heen, deed de deur op slot en zat te huilen.'*

Hij kocht twee exemplaren van *The Catcher in the Rye* en liet Gloria er één lezen. Hij had het erover zijn naam in Holden Caulfield te veranderen en schreef zelfs de minister van Justitie van Hawaii om te informeren naar de procedure.

Op 20 september schreef hij een brief aan een vriendin, Lynda Irish, in New Mexico. Daarop maakte hij een tekening van Diamond Head met de zon, maan en sterren erboven. *'Ik ben gek aan het worden,'* schreef hij. Hij ondertekende met *'The Catcher in the Rye'*.

Uit de bibliotheek leende hij boeken over allerlei onderwerpen. Een ervan was John Lennon: One Day at a Time van Anthony Fawcett. Daarin las hij over Lennons leven in New York. Hij was woedend. *'Hij was kwaad omdat Lennon "love and peace" predikte en tegelijk miljoenen bezat,'* zei Gloria tegen Gaines. Hij begon te zeggen dat hij naar New York wilde.

En hij begon, zou hij Gaines in de gevangenis vertellen, tot Satan te bidden. *'Er waren geen kaarsen, geen rituelen,'* schrijft Gaines. *'Alleen Mark die naakt heen en weer zat te schommelen bij de knoppen van zijn stereo en bandrecorder en die zijn redenen om John Lennon te doden ontleende aan songs van de Beatles, de soundtrack van 'The Wizard of Oz' en citaten uit The Catcher in the Rye.'*

Hij vertelde zijn Kleine Mensjes dat hij van plan was naar New York te gaan en John Lennon te doden. Ze smeekten hem het niet te doen. Ze zeiden, vertelde hij Jack Jones: *'Denk alstublieft aan uw vrouw. Alstublieft, meneer de president. Denk aan uw moeder. Denk aan uzelf.'*

Hij antwoordde dat zijn besluit vaststond. Hun reactie bestond uit zwijgen, schrijft Jones. Toen *'stonden de Kleine Mensjes één voor één, te beginnen met zijn minister van Defensie, op van hun stoel en liepen de geheime kamer in de mysterieuze geest van Mark David Chapman uit'*.

Op 20 oktober las Chapman in de *Star Bulletin* van Honolulu over Lennons terugkeer naar de opnamestudio na een pauze van vijf jaar. Lennon en zijn vrouw, de kunstenares Yoko Ono, hadden een album uitgegeven met de titel 'Double Fantasy'.

Op 23 oktober nam hij ontslag als bewaker en tekende voor het laatst het logboek. In plaats van het gebruikelijke 'Chappy' schreef hij 'John Lennon'. Vervolgens streepte hij dat door.

Op 27 oktober ging Chapman naar een vuurwapenwinkel in Honolulu en kocht voor $ 169 een vijfschots .38 kaliber Charter Arms Special met een korte loop. Ironisch genoeg heette de verkoper Ono.

Op 30 oktober stapte hij gekleed in een nieuw kostuum en een nieuwe overjas met de revolver in zijn koffer in een vliegtuig naar New York.

Hij had een paar duizend dollar bij zich, het restant van een lening van $ 5000 van zijn schoonvader. Net als bij zijn eerste bezoek aan Hawaii had Chapman besloten het er even van te nemen voordat hij zijn plan uitvoerde. Hij schreef zich in bij het Waldorf en trakteerde zichzelf op een diner van filet mignon en Heineken bier in het restaurant.

Hij wist dat John Lennon in de Dakota woonde, een appartementencomplex vol beroemdheden tegenover Central Park in West 72ste Street. Hij bracht de dag door met rondlopen, bestudeerde het gebouw en zocht naar de ramen van Lennon op vijfde verdieping. Hij knoopte een gesprek aan met de portier en kreeg het standaard antwoord dat hij niet wist of de Lennons in de stad waren.

Hij probeerde ook de .38 patronen te kopen waaraan hij in Honolulu niet had gedacht. Tot zijn ergernis verbood de Sullivanwet de verkoop ervan in New York.

Hij belde Dana Reeves, nu deputy van een sheriff in Georgia en zei dat hij oude vrienden wilde opzoeken; Reeves nodigde hem uit om in zijn appartement te logeren. Chapman vloog naar Atlanta. Terwijl hij daar was, vertelde hij Reeves dat hij een vuurwapen had gekocht voor zijn persoonlijke veiligheid zolang hij in New York was, maar dat hij een paar kogels nodig had 'met echt stoppend vermogen'. Reeves gaf hem vijf patronen met een holle punt die groter worden als ze door hun doelwit gaan.

Op 10 november was hij terug in New York. De volgende avond besloot hij naar de film te gaan – 'Ordinary

People', waarin Timothy Hutton een jongen met zelfmoordneigingen speelde die probeerde te leren leven
met zijn verstoorde gezin. Na afloop van de film pakte hij
meteen de telefoon.

Op een geluidsopname van Jack Jones die werd
afgespeeld op de 'Mugshots' beschrijft hij dat telefoontje:
*De ervaring in die bioscoop, op de een of andere manier
toen ik mijn vrouw belde, ik had het verslagen, ik had die
vulkaan afgedekt. En ik belde Hawaii en ik zei: "Ik kom
naar huis, ik heb een grote overwinning behaald. Jouw
liefde heeft me gered." Het was als een plotselinge terugkeer
naar de werkelijkheid. Ik besefte dat ik een vrouw had en
dat ze van me hield. Ik vertelde haar dat ik iemand wilde
gaan vermoorden en ik fluisterde – ik herinner me dat ik
het in de telefoon fluisterde – "John Lennon. Ik wilde John
Lennon gaan vermoorden." Ze zei: "Kom terug," en toen
kwam ik terug."*

Is dat alles wat je wilt?

De demonen van Chapman waren verdwenen, maar
slechts voor korte tijd. Eenmaal thuis waren ze hem
al gauw weer aan het kwellen. Hij begon telefonische
dreigementen te maken en dreigde met bomaanslagen.
Elke dag bestookte hij een groep hare krisjna's die
dagelijks in het centrum van Honolulu verschenen. Hij
vertelde een geschrokken Gloria dat hij terugging naar
New York, maar slechts voor een paar weken om te zien
of hij een nieuwe carrière kon beginnen.

Hij kwam aan op zaterdag 6 december. Hij vertelde een
goedgelovige taxichauffeur die hem naar de stad reed, dat

hij geluidstechnicus was en net van een geheime sessie van Lennon en Paul McCartney kwam die voor het eerst sinds het uiteenvallen van de Beatles samen een opname aan het maken waren.

Hij nam voor $ 16,50 per nacht een kamer bij de YMCA op de 63ste Street vlak bij Central Park West. Deze keer werd er niet gebrast in het Waldorf. Hij liep de negen blokken naar de Dakota. Terwijl hij daar op het trottoir stond te wachten, knoopte hij een gesprek aan met twee vrouwen, Jude Stein en Jerry Moll. Ze vertelden hem dat Lennon hen van zien kende en soms bleef staan om met hen te kletsen.

Toen ze wegliepen, bood Chapman aan hen mee uit eten te nemen als ze later terugkwamen. Intussen wachtte hij met een gloednieuw exemplaar van 'Double Fantasy' onder zijn arm. Om 5 uur 's middags gaf hij het wachten op en keerde terug naar zijn hotel. Ironisch genoeg verschenen de vrouwen een kwartier later en waren op tijd om Lennon te zien en met hem te praten.

Terug bij de YMCA werd Chapman gestoord door het geluid van mannen in de naastgelegen kamer die kennelijk seks hadden. Woedend dacht hij erover met zijn revolver bij hen naar binnen te stormen. Hij besloot zijn ammunitie te sparen. Wel verliet hij de volgende ochtend de YMCA en verhuisde naar het Sheraton Centre op de hoek van Seventh Avenue en de 52ste Street.

Het was zondag 7 december, Pearl Harbor Day. Hij wachtte drie uur lang buiten de Dakota tot hij honger kreeg en een taxi terug naar het Sheraton nam. Onderweg bedacht hij dat hij geen exemplaar van *The Catcher in the Rye* had meegenomen naar New York. In een naburige boekwinkel viel zijn oog op een poster van Dorothy en de

Laffe Leeuw. Hij kocht hem.

En op de krantenstandaard zag hij het gezicht van John Lennon! *Playboy Magazine* van december bevatte een interview met John en Yoko, hun eerste in vijf jaar. Hij vergat *The Catcher in de Rye* even, kocht het tijdschrift en las het interview onder het eten.

De centerfold van de *Playboy* deed hem aan iets denken dat Holden Caulfield had gedaan tijdens zijn Odyssee in New York. Chapman belde een escortbureau, maar toen de callgirl arriveerde, vertelde hij haar dat hij alleen wilde praten, net zoals Holden had gedaan. Hij betaalde haar $ 190 toen ze om 3 uur 's nachts vertrok.

Om ongeveer 10.30 uur in de ochtend van maandag 8 december ontwaakte Chapman in zijn kamer in het Sheraton. Iets vertelde hem dat dit de dag was. Hij kleedde zich aan. Toen rangschikte hij verschillende dingen op zijn ladekast. Zorgvuldig zette hij er een audiotape van Todd Rundgren op. Hij pakte de hotelbijbel, opende die bij het begin van 'The Gospel of John' (het evangelie van Johannes) en schreef het woord 'Lennon' achter 'John'. Op de kast legde hij een brief waarin hij hoog opgaf over zijn werk in het vluchtelingenkamp met foto's van hem met Vietnamese kinderen. Daarachter legde hij de poster van Dorothy en de Laffe Leeuw.

Hij pakte het 'Double Fantasy' album en nog een voorwerp: het pistool waarover hij een stuk karton schoof om de vorm ervan in zijn zak te verhullen. Op weg naar de Dakota stopte hij om een exemplaar van *The Catcher in the Rye* te kopen, wat hij de avond ervoor was vergeten. Hij kocht ook een balpen en binnen in de omslag schreef hij: '*Dit is mijn verklaring.*' Hij ondertekende met 'Holden Caulfield'.

Buiten de Dakota kletste hij met de portier Patrick O'Loughlin. Toen begon hij geleund tegen een reling *The Catcher* te lezen. Helemaal in beslag genomen zag hij niet dat Lennon uit een taxi stapte en het gebouw binnenging.

Geërgerd begon hij weer te wachten. Paul Goresh, een amateurfotograaf die de Lennons vaak volgde en die Chapman daar op zaterdag had gezien, voegde zich bij hem. Toen verscheen Jude Stein weer. Ze vertelde hem dat zij en haar vriendin Jerry op zaterdag na het vertrek van Chapman nog met Lennon hadden gepraat. Chapman vroeg haar om mee te gaan lunchen. Later keerden ze terug naar de Dakota. De vijf jaar oude Sean Lennon kwam naar buiten met zijn kindermeisje. Jude stelde Chapman aan hem voor en Chapman schudde de hand van de jongen.

Chapman zou tegen Gaines zeggen: '*Het was het leukste jongetje dat ik ooit had gezien. Het kwam niet in me op dat ik de vader van het arme jongetje ging vermoorden en dat hij voor de rest van zijn leven geen vader zou hebben. Ik bedoel, ik houd van kinderen. Ik ben de Vanger in het graan.*'

Chapman herinnerde zich dat hij Gilda Radner, Lauren Bacall, Paul Simon en Mia Farrow zag komen of gaan. Maar geen Lennon. Hij kletste met Goresh en portier Jose Perdomo, die hij zich herinnerde van zijn bezoek in november. Hij toonde hem de plaat die hij had meegebracht om door Lennon te laten signeren. Terwijl ze stonden te praten, hoorde Chapman een bekende stem. Hij draaide zich om. John Lennon en Yoko Ono kwamen het gebouw uit met kletsende personeelsleden.

Hij was met stomheid geslagen. Goresh moest hem

naar Lennon toe duwen. Sprakeloos stak hij de plaat en de pen naar voren. Lennon glimlachte, pakte ze aan en schreef: *'John Lennon, december 1980.'* In de 'Mugshots' uitzending vertelt Chapmans opgenomen stem het verhaal. Hij beschrijft een gebeurtenis die tien jaar eerder had plaatsgevonden, maar er klinkt nog steeds ontzag door in zijn stem.

'Hij zei "Natuurlijk" en schreef zijn naam erop en toen hij hem teruggaf, keek hij me aan en gaf een soort knikje: "Is dat alles wat je wilt?"

Zomaar, alsof hij naar heel iets anders vroeg en ik zei: "Ja." Ik zei: "Bedankt John."

En weer vroeg hij: "Is dat alles wat je wilt?" en daar was Yoko die al in de auto zat, de limo, het portier stond open en de motor liep, hij stond midden op straat en hij vroeg het me twee keer en ik zei: "Ja, bedankt, dat is alles," of zoiets. Hij stapte in de auto en reed weg.'

Chapman stond daar verbijsterd met het album in zijn hand en het pistool nog in zijn zak. Hij vertelde Goresh: *'Dit zullen ze in Hawaii nooit geloven.'* Hij bood de fotograaf vijftig dollar als hij een foto had gemaakt van hem met Lennon en die de volgende dag mee kon brengen.

Later zou hij tegen Gaines zeggen: *'Ik werd gewoon overweldigd door zijn oprechtheid. Ik had een afwijzing verwacht, maar het was precies het tegenovergestelde. Ik was in de zevende hemel. En er was een stukje van mij dat zei: "Waarom heb je hem niet neergeschoten?" En ik zei: "Ik kan hem niet zomaar neerschieten." Ik wilde de handtekening hebben.'*

En voor het eerst sinds enige tijd bad hij God om genade, zodat hij gewoon met zijn plaat naar huis zou gaan.

Doe het, Doe het, Doe het!

Mark Chapman werd verscheurd, zou hij later zeggen, tussen de volwassene en het kind in hem. Het kind won. Hij bleef bij de Dakota. Om acht uur 's avonds kondigde Goresh aan dat hij terugging naar zijn huis in New Jersey, want het was duidelijk dat de Lennons waren teruggegaan naar de Record Plant, hun opnamestudio, en dat ze misschien pas na middernacht terug zouden komen. Chapman vroeg hem te wachten. *'Ik zou wachten,'* zei hij. *'Je weet maar nooit of je hem nog eens ziet.'*

De wenk ontging Goresh. Chapman had alleen nog portier Jose Perdomo om mee te praten. En twee anderen. Hij vertelde Gaines: *'Ik weet nog dat ik tot God bad om me te weerhouden Lennon te vermoorden en ik bad ook tot de duivel om me de gelegenheid te bieden. Want ik wist dat ik er alleen niet de kracht voor zou hebben.'*

Om 10.50 uur 's avonds kwam een witte limousine de hoek om en stopte voor het trottoir. Yoko Ono stapte eerst uit. Lennon begon achter haar aan het gebouw in te lopen. In een verklaring die uren later door de politie werd opgenomen, verklaarde Chapman: *'Hij liep me voorbij en toen zei een stem in mijn hoofd: "Doe het, doe het, doe het," steeds weer zei hij: "Doe het, doe het, doe het," meer niet.'*

Hij riep: *'Meneer Lennon!'*

Lennon draaide zich om en zag Chapman voorovergebogen in vechthouding met beide handen om het pistool.

De verklaring van Chapman gaat verder: *'Ik trok het pistool uit mijn zak, ik bracht het over naar mijn linkerhand, ik herinner me niet meer dat ik richtte, ik moet het gedaan hebben, maar ik herinner me niet dat ik mikte of hoe jullie dat ook noemen. En ik haalde gewoon vijf keer achter elkaar de trekker over.'*

Lennon draaide zich om en wilde ontsnappen, maar vier van de vijf kogels sloegen in hem. Tot verbazing van Chapman viel hij niet, maar slaagde erin vijf treden op te rennen naar de post van de portier. Hij zei: *'Er is op me geschoten,'* en toen viel hij plat voorover.

Aan de overkant van de straat was een ingang van de ondergrondse, maar Chapman deed geen poging om te vluchten. Perdomo keek hem aan: *'Weet je wel wat je hebt gedaan? Weet je wel wat je hebt gedaan!'* Hij sloeg het pistool uit Chapmans hand en trapte het weg.

Chapman zette zijn muts af en deed zijn jas uit en gooide die op het trottoir. Hij wist dat de politie eraan kwam en wilde ze laten zien dat hij geen pistool verborg. Hij pakte *The Catcher in the Rye* uit zijn zak en probeerde te lezen terwijl hij heen en weer over het trottoir liep en wachtte.

Een politieauto kwam naar de Dakota razen en twee geüniformeerde agenten sprongen eruit. Eén rende naar binnen. Perdomo wees voor de andere Chapman aan. Chapman stak zijn handen omhoog. *'Doe me geen pijn,'* smeekte hij. *'Ik ben ongewapend.'*

'Ik deed het alleen,' zei hij, terwijl de agent hem met gespreide benen tegen de muur liet leunen en hem fouilleerde. De agent deed hem handboeien om en zette hem op de achterbank van hun auto. *'Het spijt me dat ik jullie allemaal zoveel moeite bezorg,'* bleef hij zeggen.

Requiem voor een tijdperk

'Bij het mortuarium werd de ingang afgesloten met een slot en een ketting. Assistenten met groene maskers liepen rond in een stomme vertoning, hun woorden onhoorbaar of uitgetypt op formulieren in een kille, ambtelijke typemachine. Achter hen, in de koelruimte, lagen de jaren zestig.' – Pete Hamill, *New York Magazine*

Een Engelsman, Guy Louthan genaamd, was in een appartement tegenover de Dakota. Rond middernacht, een uur na de schietpartij, liep hij naar het raam. *'De haren in mijn nek gingen recht overeind staan,'* herinnerde hij zich. *'Eerst hoorde ik dit geluid, toen keek ik naar het park en mensen stroomden door het park en toen keek ik naar de andere kant van de 72ste Street en daar kwamen van twee kanten twee golven mensen tegelijk op de Dakota af. Ze overspoelden letterlijk de weg vanuit het park en toen de eerste mensen de Dakota naderden, begonnen de mensen erachter hen in te halen, zodat het een soort stortzee was, een grote massa naast elkaar rennende mensen die tussen de auto's door bewogen. En toen ze allemaal bij de Dakota waren, bleven ze daar gewoon staan om te zingen of te scanderen. Sommigen hadden kaarsen. Ik moest gewoon naar beneden gaan om te achterhalen wat er was gebeurd.'*

Een andere menigte verzamelde zich buiten het Roosevelt General Hospital, sommigen geknield in gebed. Op verzoek van Yoko Ono hadden de artsen de formele bekendmaking van zijn dood uitgesteld; ze wilde niet dat Sean het op de radio hoorde voordat zij thuis was.

Rond één uur 's nachts schatte de *New York Times* de menigte buiten de Dakota op duizend personen.

Daaronder waren jonge ouders die hun kinderen hadden meegebracht. Sommigen zongen 'All My Loving'. Velen in de menigte zongen de laatste regel mee: 'And I'll send all my loving to you.' Velen waren in tranen.

Anderen zongen of scandeerden 'Give Peace a Chance', een song van Lennon die de hymne van de vredesbeweging was geworden.

Boven op de vijfde verdieping van de Dakota was een detective voorzichtig Yoko aan het ondervragen. Fred Seaman, een assistent van Lennon, zou later schrijven: *'De droevige geluiden van de mensen die Johns songs aan het zingen waren, dreven vanaf de straat naar boven.'*

Om vier uur 's ochtends stapte Seaman het balkon op. Er stond nog steeds een duizendtal mensen op straat Beatlesmuziek te zingen, bier te drinken en wiet te roken. Hij ging naar beneden en probeerde het bericht te verspreiden dat Yoko probeerde te slapen. *'Er was een kort intermezzo waarin de fans een bijna zwijgende wake hielden, met zacht spelende radio's, brandende kaarsen, doorgegeven joints en bier in de kille lucht. Maar zodra de zon begon op te komen, begon ook het zingen weer, toen zich meer mensen op straat verzamelden.'*

Het nieuws ging met elektronische snelheid de wereld rond. Honderden verzamelden zich voor een zwijgzaam eerbewijs bij het Lincoln Memorial in Washington. Een menigte van tweeduizend verzamelde zich met kaarsen voor een huldeblijk in Century City in Los Angeles. In de volgende paar dagen pleegden een tienermeisje in Florida en een man van dertig in Utah zelfmoord. In de brieven die ze nalieten, spraken ze van hun depressie na de dood van Lennon.

Niets had de Amerikanen sinds de dood van John F.

Kennedy zo beroerd. Net als bij de moord op Kennedy vertelden mensen elkaar wat ze aan het doen waren toen ze het nieuws hoorden. Yoko Ono vroeg fans van Lennon om te *bidden voor Johns ziel* door op zondag 14 december om twee uur 's middags tien minuten stilte in acht te nemen. Radiostations van Luxemburg tot Omaha kondigden aan dat ze gedurende die tijd uit de lucht zouden gaan.

Toen het zondag in Londen twee uur 's middags was, verzamelden zich enkele duizenden mensen op het grote plein van Melbourne in Australië om naar een video-opname van een Beatlesconcert te kijken. Meer dan 1000 eerden hem in Columbia, South Carolina, 3000 in Seattle, 1000 in Chicago, 1200 in het Ohio Statehouse in Columbus. In Kenosha, Wisconsin brachten 150 mensen bij min twintig graden hun eerbetoon.

In New York werd de menigte in Central Park geschat op 50.000 tot 100.000 mensen. Onder hen was burgemeester Edward Koch die had opgeroepen tot de samenkomst en had opgedragen de vlaggen op openbare gebouwen halfstok te hijsen. Het eerbetoon werd gevolgd door een half uur durend concert van Beatlesmuziek. Velen uit de menigte liepen de korte afstand naar de Dakota om daarbuiten te blijven staan. Postzakken met meer dan 4500 telegrammen waarin medeleven werd betuigd waren al het gebouw in gesleept.

De enige valse noot kwam uit Liverpool, de thuisstad van de Beatles. Een honderdtal mensen raakten gewond toen fans een podium bestormden waarop een plaatselijke band na Beatlesmuziek eigen composities ging spelen. Over de hele wereld kwamen mensen, zoals het tijdschrift Newsweek het verwoordde, *bijeen om hun verdriet en geschoktheid over het nieuws te delen. John*

Lennon, de brutale en sardonische ziel van de Beatles, wiens muziek een hele generatie had geraakt en de wereld had betoverd, was op zijn drempel om het leven gebracht door een verwarde jonge man met zelfmoordneigingen voor wie hij kennelijk een idool was geweest.'

Een andere verwarde jonge man met zelfmoordneigingen bevond zich onder de menigte in New York. Drie weken later vertrouwde hij zijn gedachten aan een bandrecorder toe. 'Ik wil alleen vaarwel zeggen tegen het oude jaar, dat alleen maar ellende en totale dood was,' zei hij. 'John Lennon is dood, het is gedaan met de wereld, vergeet alles.'

'Alles dat ik in 1981 zou kunnen doen, zou uitsluitend voor Jodie Foster zijn. Vertel hoe dan ook de wereld dat ik haar aanbid en verafgood.' Drie maanden later zou de wereld van John Hinckley horen.

Exorcisme in Attica

Chapman werd aangeklaagd voor moord in de tweede graad, de ernstigste aanklacht in de staat New York voor het doden van een burger. Herbert Adlerberg, een advocaat met een reputatie voor het verdedigen van impopulaire cliënten, werd aangewezen om Chapman te vertegenwoordigen. Hij trok zich snel terug. 'Ik heb eerder veel zaken behandeld, de zaak van het Black Liberation Army en de Harlem Six, maar dit is een zaak op zich,' zei hij. 'Ik kan hem niet aannemen. Het is te veel.'

De dreiging van een lynchpartij was voor de politie bijna te veel. De ramen van zijn kamer in het Bellevue Hospital, waar hij was opgenomen voor psychiatrisch onderzoek, werden zwart geverfd voor het geval dat er buiten sluipschutters waren. Bang voor Chapmans leven verpakte de politie hem in twee kogelvrije vesten en liet hem plat achterin een bestelwagen liggen terwijl falanxen van politieauto's hem over straat snel naar de rechtbank brachten.

Toen de zondag dichterbij kwam, vreesde de politie dat fans die bijeenkwamen voor het stille eerbetoon in het park zouden kunnen besluiten het ziekenhuis te bestormen. Ze brachten hem over naar de Rikers Island gevangenis. Een stoet psychiaters kwam hem daar onderzoeken.

Hij onderwierp zich aan tientallen tests en vertelde zonder terughoudendheid van zijn woede op zijn vader, zijn identificatie met Holden Caulfield en Dorothy in Oz en zelfs over zijn gesprekken met de Kleine Mensjes. Hij gaf hun ook een lijst van andere beroemdheden die hij had overwogen te doden. Hij zei dat hij er tijdens zijn verblijf in New York over had gedacht van het vrijheidsbeeld te springen.

De psychiaters kwamen tot de conclusie dat hij weliswaar waanvoorstellingen had, maar terecht kon staan. Hun diagnoses verschilden allemaal, maar zes waren bereid voor de verdediging te getuigen dat Chapman psychotisch was. De aanklager had drie psychiaters die zeiden dat zijn waanvoorstellingen niet pasten bij de definitie van een psychose.

In januari 1981 dacht Chapman dat hij op een briljant idee was gekomen. Hij zou het proces gebruiken om *The Catcher in the Rye* te promoten. Hij vertelde psycholoog Milton Kline: *'Iedereen zal dit boek gaan lezen met de hulp van de Godalmachtige media. Ze zullen een luxe editie moeten uitgeven!'*

Hij was van plan het boek tijdens zijn proces te lezen en van tijd tot tij op te springen en te roepen: '*Lees The Catcher in the Rye! Lees The Catcher in the Rye!*' Gretig signeerde hij exemplaren van het boek die zijn bewakers hem brachten.

Toen belde hij op 8 juni, twee weken voordat zijn proces zou beginnen, met Jonathan Marks, zijn nieuwe advocaat. Hij zei plotseling te beseffen dat God hem schuld wilde laten bekennen.

Marks en de psychiaters van de verdediging probeerden hem op andere gedachten te brengen. Hij was onvermurwbaar. Marks vroeg rechter Dennis Edwards om hem opnieuw door een commissie te laten onderzoeken of hij in staat was een dergelijke beslissing te nemen. De rechter weigerde.

Op 22 juni ondervroeg Edwards Chapman zonder dat er pers en publiek bij aanwezig was, of hij de gevolgen van zijn veranderde standpunt begreep. Op elke vraag antwoordde hij: '*Jawel, edelachtbare.*' Hij vertelde de rechter: '*Dit is mijn beslissing en Gods beslissing.*'

'*En ik begrijp,*' zei de rechter tegen hem, '*dat u beweert dat u daar was met de bedoeling de dood te veroorzaken van John Winston Ono Lennon en dat u vijf schoten uit uw pistool afvuurde met de bedoeling de dood van John Winston Ono Lennon te veroorzaken?*'

Chapman antwoordde: '*Jawel, edelachtbare.*'

Onder de indruk van Chapmans kalme en beheerste houding, aanvaardde Edwards de bekentenis van schuld aan moord in de tweede graad.

Op 24 augustus wees Edwards in een overvolle rechtszaal Marks' laatste poging om iets aan de bekentenis te veranderen af. Toen veroordeelde hij Chapman tot een gevangenisstraf van twintig jaar tot levenslang. Pas in het nieuwe millennium zou hij in aanmerking kunnen komen voor een voorwaardelijke vrijlating.

Op Rikers Island had Chapman een aanval van gewelddadigheid gehad. Hij vernielde zijn tv, verscheurde zijn kleren, verstopte zijn toilet en toen dat overstroomde, gooide hij met water naar de bewaking. Er waren zes bewakers nodig om hem weg te slepen. Later kreeg hij in het begin van zijn verblijf in Attica nog zo'n aanval. Zoals hij Gaines vertelde, voelde hij de Heilige Geest neerdalen en zei dat er demonen in hem huisden. *'En ik vroeg in Jezus' naam dat ze naar buiten kwamen. Mijn gezicht vertrok en het kwam uit mijn mond, dit ding, en het was verdwenen. En ik zei: "Ik ben klaar, God, laat ze allemaal verdwijnen, laat ze gaan."*

In dat uur kwamen er zes naar buiten. Ze waren de kwaadaardigste en ongelooflijkste die je ooit hebt gezien of die je ooit in je leven hebt horen sissen, gorgelende geluiden en verschillende stemmen recht uit mijn mond. Wat ik deed, zoals ik vloekte en dat soort dingen, dat was ik niet en toen ze eruit kwamen, kon ik die dingen die uit mijn mond kwamen, voelen en horen sissen en vreselijk gorgelen en knarsen en ik kon voelen dat een gedeelte van zijn persoonlijkheid was verdwenen.

Geloof me, Jim, ik deed dit niet. Er gebeurde iets met me.'

'Ik geloofde hem,' schreef Gaines.

In het jaar 2000, twintig jaar na de dood van Lennon en dertig jaar na het uiteenvallen van de groep, verkochten de Beatles meer platen en cd's dan enige andere muzikant of groep. In 2001 kreeg John Lennon een Grammy Award voor de beste lange video van 2000. Het was voor: 'Gimme Truth: The Making of "Imagine",' dat in 1971 door John en Yoko werd gefilmd.

Elke achtste december verzamelen groepen zich in een gedeelte van Central Park in de buurt van de Dakota dat Strawberry Fields is gedoopt naar de autobiografische song van Lennon. Ze staan daar om de herinnering van Lennon te eren en dan naar zijn muziek te luisteren.

In het Attica Correctional Institution is Mark David Chapman nog steeds een modelgevangene die kennelijk bevrijd is van zijn waanvoorstellingen. Minder bekende misdadigers zouden inmiddels zijn vrijgelaten, maar Chapman blijft voor zijn eigen veiligheid eenzaam opgesloten.

Zijn derde verschijning voor de reclasseringscommissie in 2004 maakte een golf van protesten los. Yoko Ono zei dat Chapman nog steeds een bedreiging vormde voor haar èn haar gezin. Een petitie met het verzoek hem levenslang in de gevangenis te laten kreeg tweeduizend handtekeningen.

Op het internet gingen veel Beatlesfans verder. Een man uit Rome, New York, schreef: *'Nooit ofte nimmer mag deze ziekelijke verspilling van zuurstof en beenmerg worden vrijgelaten na de misdaad die hij heeft begaan. Hij mag voor eeuwig wegrotten in de gevangenis en in de vurige krochten van de hel.'*

Een New Yorker schreef: *'Als hij vrij wordt gelaten, zal hem iets overkomen. Dit is New York. "Ongelukken" gebeuren.'* Een vrouw schreef: *'Als Mark David Chapman uit de gevangenis wordt ontslagen, leeft hij geen dag. Er zijn te veel mensen die hem dood wensen.'* Een man die zichzelf 'Kelsey' noemde, schreef: *'Ik zal hem eigenhandig doden als hij niet in de gevangenis blijft.'*

Chapman vertelde de reclasseringscommissie dat hij de moord had begaan om aandacht te krijgen, om 'de roem van John Lennon te stelen'. Hij zei: 'In sommige opzichten ben ik een grotere nul dan vroeger. Mensen haten me, weet u.'

Hij vroeg niet om te worden vrijgelaten en zei: 'Ik verdien niets. Vanwege het verdriet en leed dat ik heb veroorzaakt, verdien ik precies wat ik heb gekregen.'

De reclasseringscommissie oordeelde unaniem dat Chapmans vrijlating 'in belangrijke mate het respect voor de wet zou ondermijnen'. Gouverneur George Pataki kwam met een verklaring, dat 'het terecht is dat hij in de gevangenis blijft voor deze gewelddadige misdaad.'

Chapman kan in 2006 weer proberen om voorwaardelijk vrij te komen. Intussen zit hij in zijn kleine cel, waar hij nog steeds de daad probeert te begrijpen die zijn geest en lichaam op 8 december 1980 begingen.

6.

MARILYN MONROE

De dood van Marilyn

Na tien uur 's avonds op 4 augustus 1962 gleed Marilyn Monroe op een gegeven moment weg in een coma die werd veroorzaakt door een overdosis slaappillen. Ze zou niet meer bij bewustzijn komen. Kort nadat ze werd ontdekt, vond een aantal bizarre activiteiten plaats in haar huis aan Fifth Helena Drive 12305 in Brentwood. Naar verluid werden sommige voorwerpen verwijderd, waaronder een dagboek en een belastend briefje dat bij ontdekking vergaande gevolgen zou hebben. Het bevel daartoe zou volgens zeggen zijn gekomen van iemand in het Witte Huis in een poging een schandaal te vermijden dat het presidentschap van John F. Kennedy in diskrediet zou hebben gebracht.

Veel getuigen zeiden dat ze zagen hoe Marilyn die nacht heimelijk door een ambulance naar een nabijgelegen ziekenhuis werd vervoerd, voordat ze naar haar huis in Brentwood, Los Angeles werd teruggebracht. De precieze gebeurtenissen die plaatsvonden in de nacht dat een van de belangrijkste sekssymbolen en filmlegendes ter wereld overleed, zijn voor altijd in nevelen gehuld. Volgens sommige verklaringen werd Marilyns lichaam, enkele uren na de eerste ontdekking van haar stoffelijke resten, opnieuw ontdekt door haar huisgenoot Eunice Murray en haar psychiater dr. Greenson.

Greenson zou de politie later vertellen dat Murray hem rond 3.30 uur 's ochtends waarschuwde dat er misschien iets mis was met Marilyn. Toen hij bij Marilyns huis aankwam, verschafte hij zich met geweld toegang tot haar slaapkamer en vond haar naakt op haar buik op bed liggen. Ze klemde een telefoonhoorn in haar rechterhand.

Na een kort onderzoek stelde hij vast dat ze dood was.

Hoe en wanneer Marilyn Monroe stierf, deed een discussie ontstaan die meer dan veertig jaar zou duren en veel theorieën zou opleveren, waaronder die van moord. Sommige van die theorieën betrokken zelfs John F. Kennedy en zijn broer Robert bij haar mysterieuze dood.

Norma Jeane

Norma Jeane Mortenson werd geboren op 1 juni 1926 om half tien 's ochtends in het Californische Los Angeles General Hospital als dochter van Gladys Pearl Monroe Baker. Op het geboortebewijs staat Edward Mortenson als haar vader, toch was het onwaarschijnlijk dat hij echt haar vader was. Volgens Donald H. Wolfe in *The Last Days of Marilyn Monroe*, was Stanley Gifford de biologische vader van Norma Jeane. Gifford en Gladys werkten samen bij de afdeling filmmontage van Consolidation Film Industries, waar zich een korte verhouding tussen de twee zou hebben ontwikkeld. Gladys was echter alweer alleen, toen ze ontdekte dat ze zwanger was.

Norma Jeane was Gladys' derde kind. Norma had een halfbroer en -zus uit Gladys' huwelijk met Jasper Baker, haar eerste echtgenoot. De Noorse immigrant Martin E. Mortenson was Gladys' tweede man, maar na een saai huwelijk van vier maanden verliet ze hem. Norma Jeane heeft haar halfbroer en -zus eigenlijk nooit gekend, omdat ze werden opgevoed door hun vader, Jasper Baker.

Norma Jeane had een ongelukkige jeugd die werd gekenmerkt door verwaarlozing, een serie pleeggezinnen, vermoedelijk seksueel misbruik en emotioneel verdriet.

Haar moeder begon kort na de geboorte van Norma Jeane fulltime te werken in een poging de eindjes aan elkaar te knopen. Tijdens de afwezigheid van Gladys werden Albert en Ida Bolender de eerste pleegouders die voor de kleine Norma zorgden. Ze woonde ongeveer zeven jaar bij de Bolenders en zag haar moeder voornamelijk in de weekends. De Bolenders behoorden tot de Christian Sciencekerk en waren net als Norma's moeder zeer vroom. Ze waren erg streng voor Norma Jeane, omdat ze geloofden dat een sterke, morele en religieuze achtergrond het beïnvloedbare meisje gedurende haar leven ten goede zou komen.

Toen ze zeven was, woonde Norma gedurende een korte periode bij haar moeder, voordat die in 1934 werd opgenomen in een instelling. Artsen stelden de diagnose dat Gladys leed aan paranoïde schizofrenie. Schizofrenie, een grotendeels erfelijke geesteziekte, kwam veel voor in de familie van Gladys. Donald H. Wolfe beschrijft Gladys' moeder, Della Monroe Grainger als manisch depressief en haar vader, Otis Monroe, was eveneens manisch depressief. Een psychose was mede de oorzaak van de dood van Gladys' overgrootvader en de opname in een instelling van Gladys' grootmoeder van moederszijde. Bovendien zou volgens het boek *Unsolved Crimes* van Kirk Wilson een paar jaar later de diagnose van dezelfde afwijking worden gesteld.

Nadat haar moeder was opgenomen, woonde Norma Jeane bij Grace McKee, een goede vriendin van haar moeder, tot Grace in 1935 trouwde. Na haar verblijf bij Grace werd Norma Jeane twee jaar lang naar het weeshuis van Los Angeles gestuurd. Daarna volgde een serie van zeven andere pleeggezinnen voordat ze in 1941 weer bij Grace en haar man ging wonen.

Als volwassene zou ze later beweren dat ze in een van die pleeggezinnen seksueel was misbruikt. In 1934 verhuurde het pleeggezin waarbij Norma Jeane in huis was een kamer aan een acteur die Mr. Kimmel heette. De familie beschouwde hem als een respectabele, maar ernstige man. Op een dag zou hij de achtjarige Norma Jeane zijn kamer in hebben getrokken en haar seksueel hebben misbruikt. Toen ze haar pleegmoeder probeerde te vertellen wat voor afschuwelijke dingen Mr. Kimmel had gedaan, werd haar de mond gesnoerd. Haar pleeg- moeder weigerde te geloven dat Mr. Kimmel een jong en onschuldig meisje zoiets aan zou doen.

Nadat Norma Jeane later Marilyn Monroe was gewor- den, zei ze naar verluid over haar jeugd: 'De wereld om me heen was nogal wreed. Ik moest leren toneelspelen om... ik weet het niet... om de wreedheid weg te houden. De hele wereld leek voor mij te zijn gesloten... [ik voelde me] buiten alles staan en het enige dat ik kon doen was een soort droomwereld scheppen.'

In 1942 verkeerden Grace en haar man in financiële moeilijkheden en besloten naar de oostkust te verhuizen om daar opnieuw te beginnen. Ze besloten dat het voor Norma Jeane beter zou zijn als ze niet meekwamen, dus moedigde Grace Norma Jeane aan om met een buur- jongen te trouwen, de 21-jarige Jim Dougherty. Na een verkering van slechts enkele weken trouwden Jim Dougherty en Norma Jeane op 19 juni 1942. Norma Jeane was nog maar enkele weken eerder zestien geworden. Hoewel het een verstandshuwelijk was, probeerde ze in het begin echt een goede echtgenote en huisvrouw te zijn. Het was geen rol die haar lag.

In 1943 nam Jim dienst bij de koopvaardij en een jaar later voer hij naar Nieuw-Guinea en daarna verbleef hij tijdens de oorlog in de Stille Oceaan. Om de tijd door te komen en wat extra geld te hebben werkte Norma Jeane in een vliegtuig- en parachutefabriek die Radio Plane Munitions Factory heette, waar ze vliegtuigen inspecteerde en schilderde. Het werk nam haar verveling nauwelijks weg en ze werd steeds eenzamer en onzekerder tijdens de afwezigheid van haar man. Norma Jeane begon in alcohol te vluchten.

Halverwege 1944 kreeg Norma Jeane een opwindend aanbod dat haar de kans bood te ontsnappen aan de sleur die ze was gaan verfoeien. Een legerfotograaf, soldaat David Conover, illustreerde een artikel voor het tijdschrift *Yank* over vrouwen die werkten voor de oorlog, toen hem de ongewone en verrassend natuurlijke schoonheid van Norma Jeane opvielen. Conover betaalde haar vijf dollar per uur om enkele weken voor hem model te staan en samen trokken ze door zuidelijk Californië voor een fotorapportage. De foto's werden snel geproduceerd en het duurde niet lang of ze kwam in de aandacht van Blue Book Model Agency.

Binnen een jaar schoot de populariteit van Norma Jeane omhoog en ze verscheen op de omslag van drieëndertig nationale tijdschriften. Haar carrière als model werd al gauw een succes, maar haar relatie met Dougherty begon te verslechteren. Norma Jeane's angst voor eenzaamheid en verveling dreven haar tijdens het huwelijk tot verschillende verhoudingen.

Hoewel er veel verhalen zijn van mannen die beweerden de minnaar van Norma Jeane te zijn geweest tijdens het begin van haar carrière als model, konden slechts weinig worden bevestigd. Een van die verhoudingen was met de 32-jarige fotograaf André de Dienes. Tijdens een fotosessie met Norma raakte hij verblind door haar schoonheid en werd verliefd op haar gezonde uiterlijk. Volgens De Dienes drong hij er bij haar op aan van haar man te scheiden, zodat hij met haar kon trouwen. Uiteindelijk stemde Norma erin toe met De Dienes te trouwen, maar ze kwam daar snel op terug en bleef met Dougherty getrouwd.

Het is niet duidelijk hoeveel minnaars Norma tijdens haar eerste huwelijk heeft gehad. Wel was duidelijk dat ze niet langer tevreden was met haar huwelijk. In een later interview gaf ze aan dat haar huwelijk niet ongelukkig en ook niet erg slecht was geweest, maar alleen vreselijk saai. Tijdens de zomer van 1946 vroeg Norma Jeane een scheiding aan, een gebeurtenis die een keerpunt in haar leven zou zijn.

Norma Jeane richtte haar vizier hoger en begon ervan te dromen filmster te worden. Eén maand na haar twintigste verjaardag had ze een gesprek met casting director Ben Lyon bij 20th Century Fox. Verschillende dagen later werd ze gebeld om haar eerste screentest te doen en dat werd op 26 augustus 1946 gevolgd door een contract. Er werd haar vijfenzeventig dollar per week geboden, wat na zes maanden opnieuw zou worden bekeken, om acteerwerk voor de studio te doen.

Het contract bevatte nog een voorwaarde: dat ze haar naam Norma Jeane Dougherty zou veranderen in iets dat pakkender en verleidelijker klonk. Aanvankelijk besloot de studio haar naam te veranderen in Carol Lind, hoewel die naam niet bij haar paste en uiteindelijk werd afgewezen. Ben Lyon opperde toen de naam Marilyn, omdat die hem deed denken aan zijn favoriete actrice Marilyn Miller. Norma Jeane was ermee ingenomen en voegde er de achternaam Monroe, de meisjesnaam van haar moeder, aan toe. Vervolgens lanceerde Hollywood het nieuwe gezicht en de nieuwe naam – Marilyn Monroe.

Strijd om sterrendom

Marilyn Monroe was vastbesloten een ster te worden. Zelfs als kind fantaseerde ze er vaak over. In een interview verklaarde ze: *'Vaak dacht ik als ik naar de nachtelijke hemel boven Hollywood keek, dat er duizenden meisjes zoals ik in hun eentje zaten te dromen om filmster te worden. Maar ik ga me niets van hen aantrekken. Ik droom het hardst.'*

Marilyn wierp zich op haar acteer-, dans- en zanglessen die elke dag van de week door de studio werden gegeven. Ze wist dat als ze wilde slagen, ze meer dan gewoon goed moest zijn, ze moest de beste zijn. Een van de leraressen van Marilyn, Phoebe Brand, vertelde Donald Wolfe dat Marilyn *'een verlegen meisje was dat in de klas nooit haar mond opendeed... ze was bijzonder teruggetrokken. Wat me bij haar acteren ontging, was haar geestigheid, haar gevoel voor humor. Die heerlijke stijl van de comédienne was er steeds, maar ik was er blind voor. Eerlijk gezegd had ik nooit voorspeld dat ze een succes zou worden.'*

Marilyn probeerde wanhopig een groot actrice te zijn, maar het was iets dat haar niet kwam aanwaaien. Ze maakte zich zorgen dat ze er geen aangeboren talent voor had.

Bijna op de dag af een jaar nadat ze haar contract

tekende, ontsloeg 20th Century Fox Marilyn Monroe zonder enige verklaring. Marilyn zat even snel zonder geld als zonder baan. De toestand was erg, maar ze liet zich niet ontmoedigen. Marilyn raakte betrokken bij een belangrijke groep die de Actors Laboratory heette en midden in Los Angeles een oase van Broadway talent was.

In *Marilyn Monroe: The Biography* schrijft Donald Spoto dat deze blootstelling aan controversiële en intellectuele componenten van het New-Yorkse theater en aan gevestigde acteurs een belangrijk rijpend effect op haar had.

Tijdens het eind van de jaren veertig nam Marilyns carrière een rare wending. Gedwongen door geldnood keerde ze terug naar het modellenwerk en probeerde ook minder algemeen aanvaarde dingen. Tussen 1947 en begin 1948 zou Marilyn hebben gewerkt als callgirl en actrice in seksfilms. Later in haar carrière maakte Marilyn zich zorgen dat haar ongebruikelijke manier om geld te verdienen zou worden ontdekt en haar reputatie zou schaden.

Volgens een memorandum van de regering van de Verenigde Staten dat drie jaar na haar dood werd uitgegeven door de FBI zou haar latere ex-man Joe DiMaggio hebben geprobeerd een seksfilm te kopen waarin zij gedurende die periode was opgetreden. Volgens het memorandum was Marilyn te zien bij het plegen van een 'perverse handeling bij een onbekende man'. Joe DiMaggio bood $ 25.000 voor de seksfilm, maar zijn bod werd uiteindelijk afgewezen. Meer dan vijftien jaar later werden fragmenten van de clip waarop een jongere Marilyn in seksuele standen was te zien, aan het publiek onthuld in het nummer van *Penthouse* uit 1980.

De jaren na haar opgezegde contract waren niet haar prettigste en ze gingen gepaard met zelfopoffering een verdriet. Tijdens dit intermezzo zou een man door haar slaapkamerraam naar binnen zijn geklommen en haar hebben aangerand, terwijl ze in bed lag. Getuigen hoorden Marilyn gillen en belden de politie. Toen de politie arriveerde, wees Marilyn een van de rechercheurs aan als de insluiper die haar slaapkamer was binnengedrongen. Niemand geloofde haar verhaal. De aanklacht tegen de agent werd ingetrokken.

In 1948 verhuisde Marilyn naar het huis van John en Lucille Carroll. John Carroll was een bekend acteur en zijn vrouw Lucille was een casting director voor Metro-Goldwyn-Mayer (MGM). Ze steunden haar emotioneel en financieel tijdens haar moeilijke overgangsperiode. Marilyn bleef als model werken en deed audities bij studio's.

In maart 1948 kreeg Marilyn een contract van zes maanden bij Columbia Pictures voor vijfenzeventig dollar per week. Ze zou het hebben gekregen op aandringen van Joe Schenck, een van haar minnaars. De zeventigjarige Schenck, een van de oprichters van 20th Century Fox Motion Picture Studios, bezat gedurende het grootste deel van zijn leven een enorme macht en invloed in Hollywood. De relatie bleek Marilyn geen windeieren te leggen tijdens haar wanhopigste momenten.

Onder leiding van Natasha Lytess, hoofd drama bij Columbia, begon Marilyn haar techniek te ontwikkelen. Uiteindelijk kreeg ze een rol in de film *Ladies of the Chorus*, waarbij ze de kans kreeg haar zang-, acteer- en danstalent te tonen. In deze periode ontmoette Marilyn de knappe, 32-jarige directeur muziek van Columbia, Fred

Krager, en werd verliefd op hem. Men neemt aan dat hij Marilyns eerste echte liefde was.

Marilyn werd aan Fred voorgesteld toen hem werd gevraagd haar te adviseren over muzieklessen. Volgens Summers werd Marilyn verliefd op Fred toen ze ziek was en hij haar kwam opzoeken. Rond die tijd verhuisde Marilyn van het huis van de Carrolls naar een eenkamerflatje in de buurt van de studio. Fred was verrast toen hij zag hoe Marilyn woonde en bracht haar meteen naar het huis van zijn moeder.

Freds moeder, Nana Karger, mocht Marilyn bijzonder graag en nam haar op in de familie. Nana Karger werd een moederfiguur voor Marilyn en veertien jaar lang, tot Marilyns te vroege dood, bleven ze intiem bevriend. Tijdens Marilyns tijdelijke verblijf in het huis begonnen Fred en Marilyn hun liefdesrelatie.

Marilyns liefde voor Fred werd met de jaren groter en ze droomde ervan hem te trouwen. Fred, die voor de tweede maal ongelukkig was getrouwd toen hij Marilyn ontmoette, scheidde van zijn vrouw, maar was niet van plan met Marilyn te trouwen.

Datzelfde jaar eindigde de verhouding toen ze beseften dat de liefde niet wederzijds was. Fred was bijzonder kritisch op haar en dacht dat Marilyn geen geschikte moeder zou zijn voor de kinderen uit zijn eerdere huwelijken. Tien jaar later gaf Marilyn bij een interview toe dat de relatie verschillende zwangerschappen opleverde die allemaal eindigden in een abortus. Marilyns hart was gebroken nadat ze uiteen waren gegaan en het kostte haar moeite om de draad weer op te pakken, hoewel ze uiteindelijk gedwongen was om elders liefde te vinden.

In september 1948 werd Marilyns contract met

Columbia na de eerste zes maanden niet verlengd. Weer zat Marilyn zonder werk en zonder geld. Ze was zo arm dat ze bij vriend en parttime minnaar Robert (Bob) Stalzer introk om de kosten van levensonderhoud te beperken. De twee hadden nauwelijks genoeg geld om te overleven. In 1949 poseerde Marilyn naakt voor fotograaf Tom Kelley die de opnames gebruikte voor een kalender. De verspreiding ervan betekende een paar jaar later een wereldwijde sensatie die uitliep op een schandaal dat werd aangeduid als 'The Calander Caper'.

Datzelfde jaar deed Marilyn auditie voor een film van de Marx Brothers die *Love Happy* zou gaan heten. Voor de rol waarvoor zij auditie deed, was een sexy meisje nodig en Marilyn kreeg de vraag een stukje te lopen. Groucho Marx was onder de indruk van het sex-appeal dat Marilyn uitstraalde. Kirk Wilson citeert in zijn boek Groucho die Marilyn beschreef als 'Mae West, Theda Bara en Bo Peep, allemaal verenigd in één persoon'. Ze kreeg de rol meteen. Marilyn werd gebruikt voor de publiciteit van de film en ze begon in Hollywood de erkenning te krijgen waarnaar ze zo hunkerde.

Tijdens datzelfde jaar begon Marilyn een relatie met een van Hollywoods invloedrijkste en machtigste agenten, Johnny Hide. Hyde was halverwege de zeventig en raakte helemaal in de ban van de jonge en kwetsbare actrice. Hij hielp Marilyn met het omvormen van haar uiterlijke en publieke imago. Hij wist dat ze voorbestemd was om het helemaal te maken.

Hyde overreedde Marilyn om littekens op haar kin te laten weghalen door een plastische chirurg, geregeld haar haren te blonderen en – volgens de geruchten – haar eileiders te laten afbinden, zodat ze geen kinderen meer kon krijgen. Hyde hielp Marilyn bovendien een contract te sluiten met de studio die haar twee jaar eerder had afgewezen, 20th Century Fox. Ze ontving tweehonderd dollar per week voor haar rol in de film *Asphalt Jungle*. De rol zou het begin zijn van contracten met betere voorwaarden en grotere filmrollen.

In de volgende jaren was ze de ster in films als *All About Eve*. Marilyn begon geweldige kritieken te krijgen voor haar optredens en ze kreeg steeds meer het imago van een sekssymbool. In het boek van Kirk Wilson brengt cameraman Leon Shamroy onder woorden wat veel mannen voelden als ze Marilyn in de film zagen. Shamroy zei dat hij koude rillingen kreeg als hij Marilyn op het scherm zag en dat 'ze een soort fantastische schoonheid bezat. Zij bracht seks op een stukje film.'

Het belangrijkste sekssymbool van Hollywood

In december 1950 kwam een abrupt einde aan Marilyns verhouding met Hyde toen hij overleed aan een hartinfarct. Hoewel Marilyn tijdens haar relatie met Hyde andere affaires had, was ze kapot van dit verlies. Ze waardeerde zijn steun en respect.

Ze was zo gedeprimeerd dat ze enkele dagen na zijn begrafenis zelfmoord probeerde te plegen door een hele fles slaappillen in te nemen. Haar kamergenote en vriendin Natasha Lytess, die haar ooit toneellessen had gegeven, vond haar bewusteloos op bed. Ze riep meteen hulp in en het leven van Marilyn werd gered. Het was niet haar eerste of laatste zelfmoordpoging.

In 1951 tekende Marilyn een ander contract voor zes

maanden met Fox dat uiteindelijk werd omgezet in een verbintenis voor zeven jaar. Ze werd ook uitgeleend aan een andere studio om de film *Clash by Night* te maken die haar nog meer bijval van de pers opleverde. Marilyn was op weg om haar droom een ster te worden in vervulling te laten gaan.

Datzelfde jaar ontmoette Marilyn een van de gevierdste toneelschrijvers van Amerika, Arthur Miller. Marilyn werd aangetrokken door zijn genialiteit en Miller werd aangetrokken door haar sex-appeal, hartstocht en vrouwelijkheid. Ondanks het feit dat hij was getrouwd en kinderen had, hadden de twee verscheidene jaren een seksuele relatie.

Tussen 1951 en 1952 schitterde Marilyn in negen films. Met elke film kreeg Marilyn meer publiciteit en meer fans. Wekelijks ontving ze duizenden brieven van bewonderaars die in groten getale naar haar films gingen.

In maart 1952 kreeg de zegswijze 'slechte publiciteit is goede publiciteit' een nieuwe betekenis toen Marilyn het middelpunt van de aandacht werd bij het schandaal van de 'Calender Caper'. De foto's die jaren eerder door Tom Kelley waren gemaakt, werden tijdens het begin van de jaren vijftig erg gewild. In de hele V.S. hingen ze bij mannen aan de muur en Marilyn Monroe werd een nationaal sekssymbool.

Het duurde niet lang of er werd ontdekt dat het naakt poserende meisje Marilyn was. De pers stortte zich op het beginnende schandaal en Marilyns carrière dreigde op de klippen te lopen. Ze wist dat de beroering tot het verbreken van haar contract met de studio kon leiden en ze moest een manier bedenken om uit de moeilijkheden te komen.

Met een briljante pr-zet besloot Marilyn open kaart te spelen over de kalender en haar achterliggende motief door een interview te regelen met de populaire nieuwsverslaggeefster Aline Mosby. Ze vertrouwde Mosby toe, dat ze alleen maar naakt had geposeerd, omdat ze platzak was en het geld nodig had om te overleven. Marilyns goed gerepeteerde, droevige verhaal doofde de vlammen van het schandaal die haar bijna hadden verteerd en leidde in plaats daarvan in het hele land tot sympathie. Wie kon er immers kwaad blijven op zo'n mooi meisje dat was gedwongen gebruik te maken van haar lichaam om te overleven?

Marilyns carrière kreeg vaart. De publiciteit maakte Marilyn nog beroemder. Eén maand na de 'Calender Caper' stond Marilyn op de omslag van *Life Magazine*.

In juni 1952 begon ze te werken aan de film *Niagara*. Ze kreeg ook de hoofdrol in *Gentlemen Prefer Blondes*. Datzelfde jaar kreeg ze de rol aangeboden van presentatrice van de missverkiezing in Amerika. Het leek alsof eindelijk alles liep zoals Marilyn had gehoopt.

Ongelukkig getrouwd

In 1952 kreeg ook Marilyns liefdesleven gestalte. Marilyn had een verhouding met verschillende mannen, onder wie baseballlegende Joe DiMaggio en schrijver Bob Slatzer. De twee streden gedurende het hele jaar om Marilyns gunst en gedurende een korte periode was Slatzer aan de winnende hand.

Op 4 oktober 1952 brachten Marilyn en Bob de avond door met champagne drinken en kletsen voordat ze besloten naar Rosarita Beach in Mexico te rijden. Volgens Donald Wolfe besloten de twee ineens te trouwen nadat ze wat hadden gedronken in de Foreign Club in Tijuana. Toevallig kwamen Bob en Marilyn een oude kennis, Kid Chissell, tegen die ermee instemde bij hun huwelijk te getuigen. Het net verloofde paar vond een notaris die bereid was de ceremonie uit te voeren. Volgens Chissell ging Marilyn bidden in een plaatselijke Mexicaanse kerk, voordat de huwelijksceremonie begon. In het kantoor van de notaris vulde het paar de noodzakelijke formulieren in en werd naar behoren in de echt verbonden.

Maar Marilyn veranderde van gedachte en besloot dat ze eigenlijk niet met Bob Slatzer getrouwd wilde zijn, dus reisden ze samen terug naar Mexico en kochten de notaris die hen had getrouw om, zodat hij de nog niet ver-werkte huwelijksakte vernietigde. De notaris ging er ten slotte mee akkoord het enige tastbare bewijs dat Marilyn en Bob ooit waren getrouwd, te vernietigen. Al met al had het huwelijk slechts drie dagen stand gehouden.

In 1953 ging Marilyn weer met volle energie aan het werk en kreeg veel bijval en lof van de critici voor haar prestaties in *Monkey Bussiness* met Cary Grant, *Gentlemen Prefer Blondes* met Jane Russell en *How to Marry a Millionaire* met Betty Grable an Lauren Bacall. In juni van dat jaar werden haar en medefilmster Jane Russell de eer vergund hun voetafdruk te plaatsen voor Grauman's Chinese Theater.

1954 luidde een reeks abrupte veranderingen in het leven van Marilyn in en niet noodzakelijk allemaal even goed. Nadat ze niet was komen opdagen voor de opnames van *The Girl in the Pink Tights*, een film die zij ongeschikt achtte voor haar carrière, werd Marilyn door de studio geschorst. Maar in die periode had het maken van films niet haar prioriteit.

Nadat hij Marilyn bijna een jaar het hof had gemaakt, wilde Joe DiMaggio, de baseballlegende van de Yankees, met haar trouwen. Nog geen twee weken na haar schorsing van de studio traden ze op 14 januari 1954 in San Francisco in het huwelijk. Het was een eenvoudige trouwpartij met heel weinig gasten. Marilyn en Joe gingen voor hun huwelijksreis naar Japan waar ze tien dagen bleven.

Bijna onmiddellijk begon het huwelijk scheuren te vertonen. Joe zou vreselijk jaloers zijn en niet alleen als het om mannen ging, maar ook om vrouwen. Veel vrienden van Marilyn ontdekten dat Joe zich vreselijk ergerde en kwaad werd als Marilyn enige vorm van aandacht kreeg.

Tegen het eind van de huwelijksreis in Japan ging Marilyn in op een verzoek om op te treden voor de troepen in Korea. Ondanks de afkeuring van Joe ging ze toch en amuseerde alleen al op één legerbasis meer dan 13.000 soldaten. Terwijl ze rondreisde had Marilyn last van een gebroken duim die volgens zeggen het gevolg was van Joe's woede na haar besluit op te treden voor de troepen. Het zou niet het laatste geval van lichamelijk geweld zijn.

De relatie werd vanaf het begin vaak overschaduwd door Joe's jaloezie. Volgens een eerder interview verklaarde Marilyn dat jaloezie *'net als het zout op het vlees was, je hebt er maar heel weinig van nodig.'* Ze kreeg meer dan genoeg. Vrienden en collega's van Marilyn zeiden dat Joe tot aan het eind van hun relatie openlijk dominant, zeer kritisch en gewelddadig tegenover Marilyn was. Desondanks bleven ze volhouden dat ze nog steeds van elkaar hielden.

Datzelfde jaar legden Marilyn en 20th Century Fox hun geschil bij en ging Marilyn zeer tot ongenoegen van Joe weer aan het werk. Ze tekende een contract om de hoofdrol te spelen in *There's No Bussiness Like Show Bussiness* en *The Seven Year Itch* die de beroemde scène bevatte waarin ze op een rooster stond en haar rok omhoog werd geblazen. Kennelijk werd Joe razend bij het zien daarvan en volgens de geruchten sloeg hij haar die avond in hun hotelkamer, omdat ze hem in verlegenheid had gebracht.

Marilyn had er genoeg van en in oktober 1954 kondigde ze aan dat zij en Joe uit elkaar gingen. De twee verschenen op 27 oktober voor het hof. Marilyn zei dat ze een scheiding wilde op grond van de geestelijke wreedheid van Joe jegens haar. Ze waren slechts negen maanden getrouwd geweest. Hoewel de scheiding ten slotte werd uitgesproken, weigerde Joe de relatie met Marilyn op te geven.

Na de scheiding werd zijn maniakale jaloezie steeds erger. Het idee dat zijn voormalige vrouw in de armen van een ander lag, kon hij niet verdragen. Op een avond liet Joe zich meeslepen door zijn jaloezie en dat leidde tot een toestand die eindigde met een schandaal en een rechtszaak.

In november 1954 zouden Joe en zijn nieuwe vriend Frank Sinatra betrokken zijn bij de overval op het huis van Florence Kotz. Terwijl Kotz lag te slapen, trapten twee mannen de deur in en stormden haar appartement binnen en maakten foto's van haar, terwijl ze gillend in bed lag. Minuten later strompelden de mannen kennelijk verbijsterd de deur weer uit. Later kwam uit dat de mannen die in het appartement hadden ingebroken, Joe en Frank waren die Marilyn dachten te betrappen met een minnaar. De twee waren echter toevallig naar de verkeerde woning gegaan. Op het moment van de inbraak zat Marilyn in een ander appartement in hetzelfde gebouw met vrienden te dineren. De domme kwajongensstreek werd aangeduid als 'De Verkeerde Deur Overval' en Joe en Frank moesten in de rechtszaal verschijnen voor onwettige inbraak en het vernielen van particulier eigendom.

Vanwege de duisternis kon de identiteit van de mannen niet met zekerheid worden vastgesteld en liep het uit op een sisser. Joe en Frank ontkenden en de zaak werd geseponeerd. Maar Kotz begon toch een civiele zaak tegen de mannen en kreeg buiten de rechter om een schikking voor de overlast.

Marilyn besefte voor het eerst hoever haar ex-man wilde gaan om haar terug te krijgen. Ze bleef vriendschappelijk met hem omgaan, ook al koesterden ze nog steeds liefde voor elkaar. Ze wist dat de relatie nooit zou werken. Marilyn had haar oog ook heimelijk op een ander laten vallen.

Van eind 1954 tot februari 1956 'verdween' Marilyn uit het openbare leven in een poging aan haar chaotische leven in Californië te ontsnappen. Ze woonde tijdelijk bij een paar vrienden in Connecticut en daarna in een appartement in New York. Het was haar kans om over haar leven na te denken en zichzelf te hervinden.

Tijdens haar jaar vrijaf besloten zij en haar vriend Milton Greene om Marilyn Monroe Productions op te zetten. De beslissing werd genomen toen Marilyn weigerde nog langer in films op te treden waarin zij het stereotype domme blondje moest zijn. Ze wilde de ontwikkeling van haar carrière in eigen hand nemen en uitdagender rollen met meer diepgang spelen.

Terwijl ze genoot van haar zelfopgelegde ballingschap, werd de relatie tussen toneelschrijver Arthur Miller en Marilyn intenser en op 29 juni 1956 trouwden ze. Marilyn en Arthur brachten de weken na hun huwelijk in Engeland door, maar hun geluk was van korte duur. Ze maakten vaak ruzie en op een gegeven moment gaf Miller aan dat Marilyn net als zijn ex-vrouw was, die hij verachtte.

Hoewel geluk vaak niet voor Marilyn was weggelegd, gold dat niet voor roem. Marilyn verzoende zich met 20th Century Fox en in de volgende paar jaar was ze de ster in kaskrakers als *Some Like it Hot* en *The Misfits*. Ze schitterde ook in verschillende films van Marilyn Monroe Productions, waaronder *Bus Stop* en *The Prince and the Show Girl*. In totaal verscheen ze tussen 1956 en 1960 in vijf films.

In 1960 begon het verkeerd te gaan in Marilyns leven. Ze had een aantal zenuwinzinkingen, verschillende miskramen en een huwelijk dat op springen stond. Haar wereld begon in duigen te vallen.

Marilyns carrière werd ook problematisch, omdat ze geestelijk niet langer opkon tegen de spanningen die haar leven en geluk verstoorden. Bekend was dat ze te laat of helemaal niet kwam opdagen tijdens het draaien van diverse films. Als gevolg daarvan begon Marilyns professionele reputatie, net als haar huwelijk, scheuren te vertonen. Uiteindelijk kondigden zij en Arthur op 11 november 1960 aan dat ze gingen scheiden. Het huwelijk had slechts vierenhalf jaar stand gehouden. Voor Marilyn begon na de scheiding van Arthur een neerwaartse spiraal.

De band met de Kennedy's

In de daarop volgende anderhalf jaar liep ze psychiatrische klinieken in en uit om te worden behandeld voor het borderlinesyndroom. Marilyn werd ook behandeld voor haar ernstige verslaving aan barbituraten en alcohol die ze gebruikte als middel om te ontsnappen aan haar zware emotionele verdriet en om haar te helpen met haar slapeloosheid. Gedurende die tijd begon zich een professionele relatie te ontwikkelen met een nieuwe psychiater, dr. Ralph Greenson. Het zou een nogal ongebruikelijke relatie worden die steunde op afhankelijkheid en ongebruikelijke medische praktijken.

Datzelfde jaar had Marilyn een kort durende affaire met Frank Sinatra die erg veel publiciteit trok. Ze raakte in die tijd ook bevriend met verscheidene bekende persoonlijkheden, onder wie Peter Lawford, zijn vrouw Pat Kennedy en Pat Newcomb die haar beste vriendin werd. De hele groep zat vaak bij elkaar en woonde geregeld bijeenkomsten en grote feesten bij die thuis bij de Lawfords en Kennedy's werden gehouden. De gasten waren bekende figuren uit Hollywood en soms hooggeplaatste regeringsfunctionarissen, onder wie Robert Kennedy en zijn broer, de toenmalige president John Kennedy. Volgens *Marilyn Monroe: The F.B.I. Files* van Tim Coates was het op deze feesten dat Marilyn en de gebroeders Kennedy elkaar in de eerste maanden van 1962 leerden kennen.

Volgens vrienden van Marilyn ontstond er een relatie tussen Marilyn en de twee Kennedy's. Men dacht dat ze tegelijkertijd een aparte affaire had met de twee mannen. Haar verhouding met Robert en John, waarvan het publiek niets afwist, werd in Hollywood het gesprek van de dag. Vaak werd Marilyn op privé-feestjes gezien, terwijl ze danste of intiem praatte met Bobby of John. Volgens haar beste vrienden had ze haar hart aan John gegeven, de oudste broer.

Tegelijkertijd begon de FBI inlichtingen over Marilyn te vergaren, die werden verzameld in een steeds groeiend dossier over haar activiteiten. Ook ging het gerucht dat criminele organisaties als de maffia belangstelling voor Marilyn kregen en met name voor haar affaire met de broers Kennedy. Marilyn besefte niet hoezeer ze was betrokken bij een erg gevaarlijk spel met gevaarlijke mensen.

In 1962 trok Marilyn in een nieuw huis, een bungalow in Mexicaanse stijl in Brentwood, Californië. Ze verhuisde speciaal om dicht in de buurt te zijn van de Lawfords en haar psychiater Greenson, die ze dagelijks sprak. Marilyns depressie en angstaanvallen begonnen ondanks de therapie te verergeren. Bij verschillende gelegenheden nam ze per ongeluk een overdosis slaappillen in en moest worden gereanimeerd. Haar maag was de laatste paar jaar vaak leeggepompt.

Marilyn werd heel erg afhankelijk van dr. Greenson en praatte voortdurend met hem over haar leven dat steeds ingewikkelder en moeilijker werd. Voor Marilyn zorgen werd een fulltime baan voor haar psychiater en hij stelde een inwonende gezelschapsdame voor Marilyn aan die Eunice Murray heette.

Volgens Wolfe voerde Murray veel taken voor Marilyn uit, zoals haar heen en weer rijden naar het huis van Greenson in Santa Monica, bezoekers ontvangen en het huis schoonhouden. Ze lette ook op Marilyns activiteiten en hield haar gedrag en stemmingen bij, waarover ze dagelijks verslag uitbracht aan Greenson. Vrienden van Marilyn ontdekten dat Murray en Greenson een ongebruikelijke rol speelden bij de meeste aspecten van Marilyns leven. Sommigen vonden dat Greensons belangstelling verder ging dan een professionele relatie met een filmster. Anderen dachten dat hij op haar geld uit was. Deze theorieën werden echter nooit bevestigd.

Wel was bekend dat Greenson zich zorgen maakte over haar affaires en vooral die met de Kennedy's. Hij dacht dat de betrekkingen met de twee machtige broers Marilyn emotioneel schade zou berokkenen en dat ze haar zelfvernietiging zouden bevorderen.

Eerder dat jaar had Marilyns verhouding met de Kennedy's een hoogtepunt bereikt. Marilyn werd vaak in het gezelschap van John of Bobby Kennedy gezien. Er werd aangenomen dat Bobby verliefd op Marilyn werd, maar dat zij zijn gevoelens niet beantwoordde, hoewel ze veel om hem gaf en een seksuele verhouding met hem in stand hield.

Marilyns vrienden waren het erover eens dat ze haar zinnen had gezet op het winnen van de liefde van John F. Kennedy. Hij bezocht haar vaak in haar huis of zag haar bij de Lawfords waar ze volgens zeggen hun affaire hadden. Tweeëntwintig jaar later had de schrijver Anthony Summers een interview met Lawfords weduwe Pat Seaton die beweerde dat Kennedy en Marilyn regelmatig de liefde bedreven in een van de baden in het huis van Lawford.

Bij één gelegenheid werden ze betrapt door Peter Summers, een voormalige adviseur van Kennedy die hen samen uit de badkamer zag komen. Marilyn droeg alleen

een handdoek. Summers beweerde volgens zeggen: *'Ze was kennelijk daarbinnen geweest, in de douche, met hem. Het was duidelijk, maar geen van beiden leek zich er iets van aan te trekken.'*

Het huis van Lawford was niet de enige plaats waar ze samen waren. Soms hadden Marilyn en John een heimelijke ontmoeting tijdens Kennedy's reizen en bij één gelegenheid brachten ze in maart samen een weekend door in Palm Springs, Florida.

Vanaf begin tot midden 1962 sprak John ook vaak telefonisch met Marilyn. Hij gaf haar zelfs een privé-nummer, zodat ze hem via het ministerie van Justitie kon bereiken. Marilyns hoop op een toekomst met de president begon in die tijd steeds groter te worden en ze geloofde dat hij op een dag van Jackie Kennedy zou scheiden om met haar te trouwen. Summers verklaart dat Marilyn zich volgens haar vriendin Terry Moore naïef 'zag als een toekomstige First Lady'.

In april 1962 begon Marilyn te werken aan *Something's Got to Give*. Het leek erop dat haar carrière en leven weer langzaam op de rails kwamen te staan. De maand erna trad ze voor John Kennedy op bij een feest ter ere van zijn verjaardag in Madison Square Garden. Marilyn straalde seks uit toen ze met een hese stem 'Happy Birthday' voor de president zong. Het was een optreden dat gefluister door de menigte liet rimpelen, omdat ze haar verlangen naar Kennedy voor het eerst in het openbaar toonde. Volgens Summers kreeg Marilyn een afkeurend bedankje van de president, omdat ze hem op 'zo'n lieve en mooie manier' had toegezongen.

De geruchten over Marilyn en de Kennedy's begonnen steeds meer de ronde te doen. Er werd gevreesd dat John met name zou worden meegesleurd in een orkaanachtig schandaal als zijn relatie met Marilyn met deze snelheid doorging. In de zomer van 1962 was Marilyn een veiligheidsrisico geworden en ze kreeg te horen dat ze alle contacten met de broers moest verbreken. De relaties kwamen tot een abrupt einde en Marilyn was er kapot van.

In die tijd zou Marilyn ernstig gedeprimeerd raken. Ze zei zelfs tegen verschillende vrienden dat ze de relatie openbaar zou maken als genoegdoening voor het verdriet dat de broers haar hadden aangedaan. Maar in de weken voor Marilyns overlijden zaten haar carrière en persoonlijke leven beslist weer in de lift. Er was een aantal nieuwe en waardevolle filmprojecten waaraan ze werkte en ze was erg opgewonden dat ze bij deze films was betrokken.

Dan was er ook het weekend voordat ze stierf, dat werd doorgebracht bij Lake Tahoe. Spoto beweert dat ze dat weekend samen was met Joe DiMaggio en dat ze van plan waren te hertrouwen. Dit wordt tegengesproken door Wolfe die beweert dat Frank Sinatra het weekend in de Cal-Neva Lodge had geregeld op verzoek van de Kennedy's die er zeker van wilden zijn dat Marilyn de details van haar verhouding met de president niet aan de pers zou doorspelen.

Wolfe schrijft dat DiMaggio onverwacht naar Tahoe kwam en zaterdagavond laat arriveerde, misschien omdat Marilyn hem had gevraagd te komen. Het onderzoek van Wolfe bracht tevens aan het licht dat ook de harde gangster Sam Giancana aanwezig was om ervoor te zorgen dat Marilyn geen probleem vormde voor de Kennedy's.

Wolfe geeft aan dat DiMaggio woedend op Sinatra en de Kennedy's was omdat ze Marilyn daarheen hadden gelokt, haar hadden volgestopt met drugs waarna ze compromitterende foto's hadden gemaakt om haar mee te chanteren als ze dreigde naar de pers te stappen.

Het volgende weekend werd Marilyn dood aangetroffen in haar huis in Brentwood. Haar dood leek op een zelfmoord als gevolg van een overdosis slaappillen. Veel mensen geloven echter dat ze om het leven werd gebracht, omdat ze gewoon te veel wist.

Marilyns dood – vaststaande feiten

De precieze gegevens rond de dood van Marilyn Monroe zijn nog steeds in nevelen gehuld. Veel van de bewijzen en getuigenissen die tijdens het onderzoek werden verzameld, zijn grotendeels vernietigd of verloren, waaronder veel van de politiedossiers en verhoren na haar dood.

Vanaf de vroege ochtend tot de late middag leek zaterdag 4 augustus een heel gewone dag in het leven van Marilyn Monroe. Pat Newcomb, haar persagent, was blijven slapen en op zaterdag rond het middaguur wakker geworden. Marilyn had niet goed geslapen en was in het begin humeurig toen Pat met haar sprak.

Het grootste deel van de middag bracht Marilyn door met dr. Ralph Greenson, haar psychiater, behalve een tijdje halverwege de middag, toen ze een ritje maakte waarbij Eunice reed.

Er was een opmerkelijk verschil in de gesteldheid van Marilyn tijdens de middag. Terwijl ze 's ochtends alert was, leek ze 's middags verdoofd. Haar internist, dr. Hyman Engelberg had haar de vorige dag net een nieuw recept gegeven voor Nembutal (barbituraten) en het was mogelijk dat Marilyn één of meer capsules had genomen.

Dr. Greenson had geprobeerd Marilyn van de Nembutal af te krijgen en haar chloraalhydraat als inslaapmiddel voorgeschreven. Marilyn had echter diverse bronnen om aan haar favoriete medicijn te komen en dus was er meer dan genoeg in huis.

Eunice Murray was het grootste deel van de dag in het huis van Marilyn, nadat ze 's ochtends vroeg was gekomen. Dr. Greenson kwam na de lunch naar Marilyn. Donald Wolfe citeert Eunice Murray die beweerde Greenson te hebben gebeld toen Marilyn haar vroeg of er ergens zuurstof was. Pat Newcomb zei dat ze het huis van Marilyn tussen halfzes en zes uur verliet.

Greenson bracht enige tijd alleen met Marilyn door en vroeg Pat later in de middag even weg te gaan, omdat Marilyn haar die dag nogal bits had toegesproken. Pat verliet Marilyns huis ergens tussen halfzes en zes uur. Volgens Eunice Murray bracht dr. Greenson nog een uur met Marilyn door en vertrok daarna rond zeven uur 's avonds.

Joe DiMaggio belde Marilyn rond kwart over zeven en besprak met haar zijn beslissing om zijn verloving te verbreken. Zowel Murray als DiMaggio vonden dat Marilyn in een bijzonder goede stemming was na het gesprek met de jonge man. Haar goede humeur werd bevestigd door dr. Greenson die ze meteen belde om hem te vertellen van de verbroken verloving van DiMaggio.

Peter Lawford verklaarde dat hij Marilyn rond kwart voor acht belde om haar te vragen voor een feest dat hij gaf, maar hij zei dat ze klonk alsof ze zwaar onder invloed was. Hij beweerde dat ze haar naam een paar keer in de telefoon schreeuwde, maar niet reageerde op zijn woorden. Donald Spote schrijft dat Marilyn volgens Lawford zou hebben gezegd: 'Zeg Pat gedag, zeg de president gedag en zeg jezelf gedag, want je bent een aardige vent.'

Vanaf dat moment zijn er totaal verschillende verklaringen van veel bronnen over het tijdstip waarop Marilyn overleed en hoe en wanneer haar dood werd ontdekt. Deze verschillen zullen in het volgende hoofdstuk worden besproken, maar eerst zullen we verdergaan met de vaststaande feiten.

Zondagochtend 5 augustus kreeg brigadier Jack Clemmons van de West Los Angeles Police Department om vijf voor halfvijf een telefoontje dat hij nooit zou vergeten. Dr. Hyman Engelberg, Marilyns persoonlijke arts, vertelde hem dat ze zelfmoord had gepleegd. Toen hij en de politieauto die hij als ondersteuning had opgeroepen bij Marilyns huis aankwamen, waren daar drie mensen: Eunice Murray, dr. Ralph Greenson en dr. Hyman Engelberg.

Ze brachten Clemmons naar de slaapkamer waar haar naakte lichaam onder een laken lag en wezen op de flesjes kalmerende middelen. Donald Wolfe citeert Clemmons: 'Ze lag op haar buik in wat ik de soldatenpositie noem. Haar gezicht lag op een kussen, haar armen lagen langs haar zij, rechterarm iets gebogen. Haar benen waren helemaal gestrekt.' Hij dacht meteen dat ze zo was neergelegd. Hij had een aantal zelfmoorden gezien en in tegenstelling tot wat algemeen wordt aangenomen, zorgt een overdosis slaaptabletten meestal voor stuiptrekkingen en braken voordat het slachtoffer in een verwrongen positie overlijdt.

De verklaringen die van de drie personen werden opgenomen, waren erg vreemd en Clemmons was ervan overtuigd dat hij niet de waarheid hoorde. Ze beweerden dat Marilyns lichaam ongeveer vier uur eerder was ontdekt, maar dat ze geen contact met de politie konden opnemen tot de publiciteitsafdeling van 20th Century Fox toestemming had gegeven. Clemmons merkte ook op dat er in de slaapkamer geen glas stond, waarmee Marilyn de vele pillen had kunnen innemen die ze had moeten inslikken.

De voorlopige autopsie werd uitgevoerd door dr. Thomas Noguchi. Toen de resultaten van verschillende tests werden geanalyseerd, bepaalde lijkschouwer Theodore Curphey dat Marilyn was overleden aan een overdosis barbituraten. Resten van de stof pentobarbital (slaappillen) werden in haar lever aangetroffen en in haar bloed werd chloraalhydraat gevonden. Hij verklaarde dat er geen waarneembaar fysiek bewijs was van boze opzet. De dood van Marilyn werd vermeld als een 'vermoedelijke zelfmoord'.

Of Marilyn al dan niet zelfmoord pleegde is echter gedurende meer dan veertig jaar de bron geweest van veel discussie.

Tegenstrijdige verklaringen

Het tijdstip van Marilyns overlijden

Eén geschilpunt betreft het tijdstip van Marilyns overlijden. Het laatste feit in haar leven waarvan we zeker kunnen zijn, is dat ze op zaterdagavond rond kwart over zeven met Joe DiMaggio praatte over zijn romantische verwikkelingen en dat ze erg blij, zelfs opgetogen was over het feit dat Joe een eind maakte aan een relatie met een vrouw die Marilyn niet mocht. Joe bevestigt haar stemming net als Eunice en dr. Greenson die ze belde om het nieuws door te geven.

Maar dan hebben we Peter Lawford die nog geen half uur later belt. Marilyn is van vrolijk en wakker zwaar onder invloed geraakt en maakt opmerkingen die als suïcidaal uitgelegd kunnen worden. Lawford was zo in paniek dat hij zijn vriend Milt Ebbins belde die Marilyns advocaat Milton Rudin overhaalde om Marilyns huis te bellen en te kijken of alles in orde was.

Rudin beweert dat hij het huis om halfnegen belde en Eunice vroeg te kijken hoe het met Marilyn ging. Eunice zei dat ze had gekeken en dat het goed was met Marilyn. Lawford was niet gerustgesteld, dus belde hij rond elf uur zijn vriend Joe Naar. Naar woonde in de buurt van Marilyn en stemde ermee in om erheen te gaan en te controleren of Marilyn geen overdosis had genomen. Net toen Naar op het punt stond zijn huis te verlaten, kreeg hij een telefoontje van Rudin die zei dat het niet hoefde en dat Marilyn van dr. Greenson een kalmerend middel had gekregen.

Twee andere vrienden van Marilyn zeiden dat ze in de periode dat Peter Lawford ervan overtuigd was dat Marilyn zwaar onder de verdovende middelen zat en mogelijk stervende was aan een overdosis, met Marilyn spraken.

Volgens Wolfe sprak Marilyn rond half negen ook met haar kapper, Sidney Guilaroff. Guilaroff beweerde dat

Marilyn zei dat ze een heleboel gevaarlijke geheimen over de Kennedy's wist. Marilyn kreeg die avond nog een paar telefoontjes, waaronder één van haar parttime minnaar Jose Bolanos.

Bolanos beweerde dat Marilyn hem in een telefoontje rond halftien *'iets schokkends onthulde waar de hele wereld van op zou kijken'*. Tijdens dat gesprek legde Marilyn de hoorn neer zonder op te hangen, omdat ze iets vreemds bij de deur hoorde. Hij hoorde nooit meer iets van haar.

Wolfe merkt op dat de man die Marilyn op zondagochtend tussen halfzes en zes uur kwam halen om haar naar het mortuarium te brengen, constateerde dat de 'rigor mortis al in een vergevorderd stadium was' en hij schatte het tijdstip van overlijden tussen halftien en halftwaalf zaterdagavond.

Spoto schrijft dat Arthur Jacobs, Marilyns publiciteitsman, zaterdagavond rond tien uur, halfelf te horen kreeg dat Marilyn was overleden en dat hij een concert moest verlaten om zich over de persberichten te buigen.

Eunice beweerde echter dat ze rond drie uur 's nachts wakker werd en licht onder de deur van Marilyns slaapkamer zag (wat later onmogelijk bleek vanwege het hoogpolige tapijt), ontdekte dat de deur op slot zat (ook onmogelijk, omdat er geen deugdelijk slot op de deur zat) en dr. Greenson belde. Greenson kwam naar het huis, ging de slaapkamer in en verklaarde rond tien voor vier dat Marilyn was overleden.

De gebeurtenissen die plaatsvonden tussen halftien en halfelf 's avonds blijven een raadsel. Bewijsmateriaal duidt er echter op dat Marilyn tijdens dat raadselachtige uur overleed. Op basis van getuigenissen van kennissen en mensen die betrokken waren bij de gebeurtenissen rond de zogenaamde zelfmoord, plaatst Summers het tijdstip van overlijden op die avond ergens binnen dat tijdskader. De getuigenis van vier vrienden van Marilyn ondersteunt die theorie.

Donald Wolfe meldt dat Eunice en haar schoonzoon Norman Jeffries in Marilyns huis waren tijdens de nacht van haar dood. De twee gaven een tegenstrijdig relaas van de gebeurtenissen van die avond. Jeffries beweerde dat tussen halftien en tien uur Robert Kennedy en twee onbekende mannen bij Marilyn aanbelden en hen opdroegen het huis te verlaten. Volgens Jeffries gingen ze naar het huis van een buurman en wachtten tot de mannen rond halfelf vertrokken. Toen ze naar het huis terugkeerden, verklaarde Jeffries dat hij Marilyn naakt op haar buik op bed zag liggen, terwijl ze zo te zien een telefoon vasthield.

Jeffries zei dat Marilyn eruit zag alsof ze dood was. Eunice zou een ambulance hebben gebeld en daarna belde ze dr. Greenson. Wolfe verklaart dat Jeffries Lawford en Pat Newcomb bij het huis zag aankomen. Ze waren geschokt en hysterisch. Volgens Summers vertelde een voormalige ambulancechauffeur die Ken Hunter heette tegen een rechercheur van de officier van justitie dat hij 'in de vroege ochtenduren' bij Marilyns huis aankwam na de ontdekking van haar lichaam. Het hoofd van de ambulancedienst vertelde de rechercheur ook dat Marilyn als gevolg van een overdosis slaappillen eigenlijk in coma was toen de ambulance aankwam. Hij beweerde dat ze naar het Santa Monica Hospital werd gebracht waar ze overleed. Summers oppert de mogelijkheid dat ze naar huis werd teruggebracht om alles gemakkelijker in de doofpot te kunnen stoppen.

Een andere getuigenverklaring ondersteunt het verhaal van Jeffries, maar werd nooit opgenomen in het proces-verbaal van het onderzoek naar de dood van Marilyn. Elizabeth Pollard, een buurvrouw van Marilyn, vertelde de politie dat ze Robert Kennedy met twee niet geïdentificeerde mannen om ongeveer zes of zeven uur op Marilyns huis zag afgaan. Een van de niet geïdentificeerde mannen droeg een zwarte artsentas.

Volgens Wolfe werd de verklaring van Pollard door de politie in twijfel getrokken en uit het onderzoek gelaten, omdat haar verhaal volgens hen een 'afwijking' zou zijn. Als het een afwijking was, dan werd die door verschillende mensen geconstateerd, omdat Pollard die dag niet alleen was. Summers verklaart dat ze met verscheidene mensen zat te kaarten die allemaal Kennedy herkenden toen die naar Marilyns huis reed. De identiteit van de andere getuigen blijft vaag.

Autopsieresultaten

Lijkschouwer Curphey had zijn beslissing dat Marilyn zelfmoord had gepleegd, gebaseerd op de hoeveelheid kalmerende middelen in haar lichaam, de afwezigheid van tekenen van boze opzet, haar eerdere zelfmoordpogingen en de mening van dr. Greenson.

Deze mening werd echter niet gedeeld door enkele belangrijke forensische deskundigen die aanvoerden dat er geen sporen van Nembutal in haar maag of ingewanden waren. Ook hadden er bepaalde kristallen en resten van de gele capsules moeten zijn waarin Nembutal wordt verpakt. Niet alleen waren er geen capsuleresten, er was ook geen gele kleurstof in haar maag.

Spoto wijst erop dat in Marilyns bloedmonster 'acht

milligram chloraalhydraat en vierenhalve milligram Nembutal zat, maar het monster uit haar lever bevatte met dertien milligram een veel hogere concentratie Nembutal... de verhouding tussen de hoeveelheden Nembutal in bloed en lever duidt erop... dat Marilyn nog vele uren leefde na het innemen van dat medicijn... Dit betekent dat terwijl Marilyn door de dag levend en in beweging was, de Nembutal door het stofwisselingsproces de lever had bereikt en het excretieproces was begonnen... de barbituraten waren niet ingenomen binnen enkele minuten, maar gedurende uren... dit rapport past bij wat Greenson zelf haar "enigszins verdoofde" toestand noemde'.

Het idee van een injectie met barbituraten gaat ook niet op vanwege twee redenen: na een zeer nauwkeurig onderzoek werden geen sporen van een naald op haar lichaam gevonden en bovendien zou een injectie met zo'n hoge dosis ogenblikkelijk de dood hebben veroorzaakt met duidelijke blauwe plekken als gevolg. Spoto legt uit dat één mogelijke verklaring die paste bij het fysieke bewijsmateriaal, was dat de middelen werden toegediend met een klisteerspuit, wat de verklaring zou kunnen zijn voor de 'abnormale, afwijkende verkleuring van de dikke darm'.

Als Marilyn overleed aan een rectaal toegediende overdosis kalmerende middelen, lijkt het idee van zelfmoord nogal belachelijk waardoor er twee andere mogelijkheden overblijven: ongeluk en moord.

Theorieën

Zelfmoord

Dit is de officiële doodsoorzaak die waarschijnlijk zeer algemeen wordt aanvaard. Ze had het al vier keer eerder geprobeerd en vertoonde sterke stemmingswisselingen.

Het probleem van deze theorie is dat te veel forensische feiten daarmee niet overeenstemmen, tenzij men zich kan voorstellen dat Marilyn een klysma met barbituraten klaarmaakt en zichzelf toedient. Een behoorlijk aantal forensische deskundigen hebben de zelfmoord verworpen, omdat die niet overeenstemt met de feiten.

Ongeluk

Als Marilyn feitelijk stierf aan een rectaal toegediende barbituratenklysma, dan is de vraag wie die klaarmaakte en toediende. Het is niet onmogelijk dat de overdosis een ongeluk was.

Spoto maakt een vrij overtuigende zaak van dood door ongeluk. Dr. Greenson had samengewerkt met dr. Hyman Engelberg om Marilyn van de Nembutal af te krijgen en haar in plaats daarvan chloraalhydraat te geven om in te slapen. Milton Rudin beweerde dat hij in de nacht van Marilyns dood iets zeer belangrijks zei: *'Godverdomme! Hij heeft haar een recept gegeven waarvan ik niets wist!'*

Dr. Engelberg had ernstige huwelijksproblemen en overlegde kennelijk niet goed met Greenson over Marilyns medicatie. Spoto oppert de mogelijkheid dat Greenson Marilyn op de avond van haar overlijden geen zware dosis chloraalhydraat zou hebben gegeven als hij had geweten dat Marilyn de hele dag capsules Nembutal had geslikt. Spoto oppert verder dat hij Marilyn na een uitputtende dag met haar een klysma met chloraalhydraat wilde geven om ervoor te zorgen dat ze de hele nacht doorsliep.

Chloraalhydraat heeft een beduidend vertragend effect op de afbraak van Nembutal, maar Greenson wist niet dat ze Nembutal had geslikt en Marilyn besefte niet dat Nembutal en chloraalhydraat elkaar negatief beïnvloedden, anders zou ze waarschijnlijk tegenover Greenson hebben toegegeven dat ze Nembutal had geslikt.

Als Spoto's theorie klopt, wie diende dan het klysma toe? Spoto denkt dat het Eunice Murray moet zijn geweest die net als Greenson geen idee had dat het verdovende klysma fataal zou zijn.

Elke arts zou tegenover zichzelf en anderen heel ongaarne toegeven dat hij zo'n belangrijke fout had gemaakt bij zo'n bekende patiënt, vooral omdat Marilyn 's middags al verdoofd had geleken. Ook als Eunice degene was geweest die de klysma had toegediend, dan zou het heel natuurlijk zijn als ze zichzelf en dr. Greenson probeerde te beschermen door te doen alsof Marilyn nooit iets was gegeven.

Moord

Iedereen is dol op een samenzwering. Het is zoveel opwindender dan een toevallig overlijden of een zelfmoord. De beroemde hoofdrolspelers in dit drama lenen zichzelf heel goed voor de romantiek van een complot. Kijk naar de huisnijverheid die het resultaat was van de moord op Kennedy.

Het is belangrijk om een onderscheid te maken tussen het wegmoffelen van pijnlijke informatie door machtige mensen en doelbewust op een misdadige manier mensen uitschakelen die mogelijk problemen kunnen veroorzaken. Er is een aantal geloofwaardige mensen die beweren dat Marilyn Monroe affaires had met één of beide gebroeders Kennedy. Van John Kennedy was zeker bekend dat hij zich te buiten ging aan buitenechtelijke avonturen. Dus is het heel plausibel dat president Kennedy zich de charmes van de meest sexy en aantrekkelijke vrouw van dat tijdperk liet aanleunen. Dat voor Robert Kennedy hetzelfde gold is veel minder duidelijk.

Volgens Peter Lawford waren het Marilyns onrealistische ideeën over de mogelijkheid om First Lady te worden er de oorzaak van dat ze zichzelf en de beide gebroeders Kennedy in verlegenheid bracht. Haar brieven en telefoontjes met hen waren zowel vervelend als gevaarlijk geworden. Om met anonieme meisjes aan de rol te gaan was één ding, maar betrokken te raken bij een beroemd sekssymbool als Marilyn Monroe was heel iets anders. Dus waren er een heleboel goede redenen voor JFK en RFK om de banden met Marilyn definitief te verbreken.

Wat volgens zeggen erg vervelend werd, was Marilyns zogenaamde woede om de afwijzing door JFK en de angst dat ze beide broers schade kon berokkenen. Donald Wolfe somt het op: 'Marilyn Monroe bevond zich in een positie om het presidentschap te ondergraven. Ze wist van Jack Kennedy's echtelijke ontrouw en andere privé-aangelegenheden. Ze had zijn briefjes en brieven en wist van Kennedy's band met Sam Giancana. Dat de gebroeders Kennedy zaken die de nationale veiligheid aangingen, met de filmster hadden besproken, maakte de verbijsterende reeks misstappen alleen maar groter.'

Het behoort tot de mogelijkheden dat Robert Kennedy de man was die door zijn broer werd aangewezen om

Marilyn persoonlijk mee te delen dat het uit was. Het is niet iets dat men in een brief schrijft en waarschijnlijk bracht JFK de boodschap liever niet zelf over.

Maakte Robert Kennedy op de avond dat Marilyn overleed, haar duidelijk dat zijn broer de relatie wilde verbreken? Tenslotte zijn er een paar getuigen onder wie een politieagent, die Robert Kennedy op die avond daar zagen. Deze informatie zal misschien nooit met zekerheid bevestigd worden, maar als Robert Kennedy op de avond van 4 augustus een onaangekondigd bezoek bracht aan Marilyn Monroe, dan komt er een onverwacht extra motief voor de zelfmoordtheorie. Marilyn was de hele dag en avond weliswaar in een uitstekende humeur geweest, maar een bezoek van Robert Kennedy dat haar idee over een duurzame relatie met JFK in duigen liet vallen, had tot een plotselinge stemmingsverandering kunnen leiden.

Was er sprake van een poging van overheidswege om de indiscreties van John F. Kennedy met Marilyn Monroe te verbloemen? Het zou wel erg verrassend zijn, als er geen sprake was geweest van zo'n poging.

De zogenaamde doofpot zou zich hebben uitgestrekt tot telefoongegevens en bewijsmateriaal dat de politie ter plaatse aantrof. Kort na zijn telefoontje voor elf uur met de Naars op de avond van Marilyns overlijden, zouden Peter Lawford en Pat Newcomb naar het huis van Marilyn zijn gegaan. Kennelijk in paniek belde Lawford zijn zwager Bobby Kennedy en legde uit wat er was gebeurd.

Het vernietigen van telefoongegevens, persoonlijke dagboeken en velletjes papier behoort echter tot een andere orde dan moord.

De suggestie van sommige auteurs dat Robert Kennedy

op de een of andere manier medeplichtig zou zijn aan de moord van Marilyn Monroe duidt op onbekendheid met het karakter en de integriteit van de minister van Justitie. Ook al is de dood van Marilyn Monroe omgeven met vraagtekens, dat geldt niet voor het karakter van Robert Kennedy die een zeer stabiel moreel kompas volgde wat herhaaldelijk bleek uit zijn kruistocht tegen de georganiseerde misdaad.

Werd Marilyn vermoord door de maffia die zich maar al te graag wilde wreken op de Kennedy's vanwege Roberts aanval op hen door het openbaar maken van de avontuurtjes van de Kennedy's aan het Amerikaanse publiek? Het motief was er waarschijnlijk wel, maar met wat er bekend was over de personen die op de avond van 4 augustus 1962 aanwezig waren in het huis van Marilyn, lijkt een gangstermoord met een klisteerspuit nogal onwaarschijnlijk en bijna absurd.

De echte gebeurtenissen rond Marilyns dood zullen waarschijnlijk nooit bekend raken. Zeker was dat een levende legende op een geheimzinnige wijze te vroeg stierf in een nevel van verwarring, schandalen en onzekerheid.

Na de autopsie werd Marilyns lichaam overgedragen aan de familie. Marilyns moeder die in een inrichting zat, kon het lichaam niet overnemen. In haar plaats eiste Joe DiMaggio haar stoffelijke resten op en regelde een bescheiden en rustige begrafenis voor de vrouw van wie hij tot haar dood was blijven houden. Op 8 augustus 1962 werd ze ten slotte ten grave gedragen op het Westwood Memorial Park van Los Angeles in de Corridor of Memories. Op die dag stonden duizenden langs de straat en treurden om hun icoon en de filmlegende Marilyn Monroe.

7.

EDGAR ALLAN POE

De stervende man

Ryan's Tavern in Baltimore was de hele dag druk geweest met mannen die in en uit liepen om hun stem uit te brengen voor de verkiezingen. De meeste mannen waren snel weer weg en de man die in de buurt in elkaar gezakt zat, zagen ze niet of verkozen hem niet te zien. Omdat het stembureau ook een saloon was, dachten veel mannen waarschijnlijk dat de man een triest voorbeeld was van iemand die de voorgaande avond te veel had ingenomen.

Joseph Walker was Ryan's op 3 oktober 1849 aanvankelijk misschien louter binnengekomen om zijn stem uit te brengen, maar in tegenstelling tot anderen die de zaak snel in en uit liepen, nam hij de tijd om te zien of de man hulp nodig had. Walker kan de man mogelijk zelfs gevraagd hebben of er iemand was die Walker kon laten komen om hem te halen. De man, van wie Walker nu dacht dat hij echt dronken was, kan een paar namen hebben opgesomd, tot hij eindelijk iemand noemde die Walker kende.

Walker stuurde snel een bericht naar een zekere dr. Joseph Snodgrass waarin onder andere stond: *'Er zit een heer die er nogal haveloos uitziet, bij Ryan's Fourth Ward Polls. Hij lijkt er ellendig aan toe te zijn en zegt dat hij een bekende van u is en ik verzeker u dat hij onmiddellijk hulp behoeft.'*

Na de ontvangst van dit bericht ging dr. Snodgrass de man halen en liet hem naar het nabij gelegen Washington College Hospital, waar de zieke man onder de hoede van dr. John Moran werd geplaatst.

Moran verzorgde zijn patiënt gedurende de volgende

paar dagen en kwam tot de slotsom dat alcohol eigenlijk de kern van de ziekte van zijn patiënt was. De verzwakte man leek in en uit de werkelijkheid te glijden, hoewel hij nooit in staat was vragen te beantwoorden over wat hem in zo'n ellendige toestand had gebracht. De toestand van de man werd algemeen bekend en zijn neef kwam op bezoek, maar hij werd weggestuurd met de woorden dat de patiënt nog geen bezoek mocht ontvangen.

Vier dagen nadat hij naar het ziekenhuis was gebracht, ging de man sterk achteruit. Dr. Moran stond aan zijn sterfbed, toen de man in zijn delirium herhaaldelijk de naam 'Reynolds' zou hebben genoemd. De patiënt overleed uiteindelijk in de vroege uren van 7 oktober 1849.

De dode man was niet welvarend, maar wel bekend, wat voor de plaatselijke krant, de *Baltimore Sun,* reden was om in hun uitgave van 8 oktober te melden: *'Tot onze spijt hebben wij vernomen dat de Weledele Heer Edgar Allan Poe, de eminente Amerikaanse dichter, geleerde en criticus, gisterenochtend in deze stad is overleden na een ziekbed van vier of vijf dagen. Dit zo plotselinge en onverwachte bericht zal bij allen die genialiteit bewonderen en sympathie koesteren voor de zwakheden die er te vaak mee gepaard gaan, diepgevoelde spijt teweegbrengen.'*

Op veertigjarige leeftijd was de meester van het griezelverhaal en de vader de detective overleden. De dood van Poe werd door velen betreurd, maar iedereen nam de conclusie van dr. Moran dat alcoholisme Poe uiteindelijk het leven had gekost, voor waar aan. Zelfs degenen die Poe vluchtig kenden, wisten van zijn reputatie als drinker.

Spoedig echter begonnen op een manier die Poe zelf zou hebben bewonderd, raadselachtige en gefluisterde geruchten langs de oostkust de ronde te doen. Die leken erop te duiden dat de grondlegger van zo veel gruwelijke literaire sterfgevallen mogelijk zelf aan zijn eind was gekomen door toedoen van een ander.

De jeugdjaren

Edgar Poe werd geboren in een leven vol tragedie. Op 19 januari 1809 werd hij in Boston geboren als het tweede van drie kinderen van een rondreizend acteursechtpaar. Ongetwijfeld bood het voortdurende reizen in het toneelleven van zijn ouders Edgar en zijn broer en zus geen evenwichtige jeugd.

In december 1811, toen Edgar nog geen drie jaar oud was, overleden beide ouders enkele dagen na elkaar, hoewel de ouders volgens de kronieken van de Edgar Allen Poe Society uit Baltimore heel waarschijnlijk uit elkaar waren gegaan en niet aan dezelfde oorzaak of ziekte overleden. Als bewijs van de scheiding citeert de Society op de website een bericht uit de *Norfolk Herald* van juli 1811 (vijf maanden voor de dood van Poe's moeder) waarin werd gevraagd om bijdragen voor mevrouw Poe die 'in de steek was gelaten en alleen zichzelf en enkele kleine kinderen moest onderhouden'. Zijn moeder zou de eerste van een reeks vrouwen zijn die hun stempel op Poe's leven drukten door te sterven nadat Edgar een liefdevolle relatie met hen had opgebouwd.

Edgar en zijn oudere broer en jongere zus waren nu wees en werden uit elkaar gehaald. De broer woonde bij grootouders in Baltimore en Edgar en zijn zus werden opgenomen door verschillende families in Richmond, Virginia.

Edgar werd opgenomen door John Allan en zijn vrouw Frances. John en Frances hadden geen eigen kinderen (de Baltimore Poe Society denkt dat dit het gevolg kan zijn van de labiele gezondheid van Frances) en hoewel ze hem nooit formeel adopteerden, voedden ze Edgar op alsof hij hun eigen kind was. Toen Edgar werd gedoopt, nam hij 'Allan' als tweede voornaam.

Details van Poe's leven bij de Allans zijn oppervlakkig. Poe's eigen brieven over zijn opvoeding spreken elkaar vaak tegen, vooral als het de relatie met zijn pleegvader John betreft. Al het bewijsmateriaal lijkt erop te duiden dat Poe zich aangetrokken voelde tot Frances, maar dat de relatie met John klaarblijkelijk hartelijk en alleen soms wat gespannen was. John zorgde er wel voor dat John een behoorlijke opleiding kreeg en toen John gaandeweg rijker werd, kreeg Edgar steeds meer privileges.

De eerste ernstige onenigheid tussen John en zijn pleegzoon ontstond in 1827 toen John weigerde de speelschulden van Poe te betalen die hij als student aan de universiteit van Virginia had gemaakt.

Kort daarna en misschien als een middel om een 'nieuwe start' te maken, nam Poe dienst in het leger en bereikte uiteindelijk de rang van sergeant-majoor. In 1829 werd hij echter teruggeroepen naar Richmond voor de begrafenis van zijn pleegmoeder Frances, de tweede, erg gewaardeerde vrouw die Poe in rouw dompelde.

John hertrouwde het volgende jaar en zijn nieuwe vrouw, die John drie zoons schonk, kon Frances kennelijk niet vervangen in Poe's hart. De nieuwe mevrouw Allan was ook niet dol op Edgar. In maart 1834 kreeg Poe te horen dat John ernstig ziek was en hij haastte zich naar het ziekbed van zijn stervende pleegvader. De tweede mevrouw Allan probeerde Poe te verhinderen de kamer van de stervende man te betreden. Poe drong langs haar heen en kreeg te maken met een furieuze John die Edgar vervloekte en erop stond dat de jonge man meteen vertrok. Na Johns dood kwam Poe erachter dat de man die hem had opgevoed en die hij vaak liefdevol had aangesproken met 'Pa' zijn testament had veranderd en Edgar er helemaal uit had geschrapt.

Na een periode van verdriet en verbittering kwam Poe tot inzicht en schreef na Johns dood aan een vriend: *'Ik verwachtte een groot fortuin te erven – en kreeg een jaarlijkse toelage die voldoende was voor mijn onderhoud – van een heer die me altijd behandelde met de liefde van een vader. Maar een tweede huwelijk van zijn kant en vele dwaasheden, mag ik wel zeggen, van de mijne liepen ten slotte uit op een ruzie tussen ons.'*

De dichter doet zijn intrede

Edgar Allan Poe publiceerde zijn eerste gedichtenbundel, 'Tamerlane and Other Poems' in 1827 anoniem. Hij zou met bescheiden succes gedichten blijven schrijven tot 1831 toen hij overging naar de vorm van het korte verhaal waarmee hij (klassieke gedichten als 'The Raven' uitgezonderd) het beroemdst zou worden.

Net als zijn vroege poëzie werden Poe's eerste korte verhalen anoniem gepubliceerd en hij nam vaak aan wedstrijden deel, niet alleen voor het prestige, maar ook om het prijzengeld op te strijken, een noodzaak sinds de verwachte erfenis van John Allan een luchtspiegeling was gebleken.

Poe klom op van bijdragend schrijver tot redacteur en werkte in het begin jarenlang voor gevestigde literaire tijdschriften, hoewel dat werk hem geen voldoening schonk en hij de rest van zijn leven zou blijven proberen een eigen tijdschrift op te richten en uit te geven.

In 1836 trouwde Poe met zijn nicht Virginia Clemm die net een tiener was. Zijn tante, Maria Clemm, werd zijn schoonmoeder. Er zou aangevoerd kunnen worden dat Poe door dit huwelijk met Maria de leemte kon vullen die zijn eigen moeder en Frances Allan hadden achtergelaten, terwijl hij in Virginia tegelijk de mooie jonge vrouw vond die zijn moeder in de verbeelding van Poe moest zijn geweest toen ze zo jong stierf.

In 1840 publiceerde een firma uit Philadelphia Poe's 'Tales of the Grotesque and Arabesque' waarin griezel-verhalen waren opgenomen in een genre dat later synoniem zou worden met de naam Poe.

Een jaar later verscheen het verhaal *Murders in the Rue Morgue*, dat door de meesten als het eerste detective-verhaal wordt beschouwd, in Graham's Magazine waarvoor Poe toen als redacteur werkte. Het verhaal werd goed ontvangen, dus schreef Poe een vervolg dat kon worden beschouwd als een vroeg voorbeeld van een 'echt misdaadverhaal'. Het verhaal was fictief en in Parijs gesitueerd, maar weerspiegelt elk aspect en personage van een echte moord uit New York City die de stad met afschuw vervulde.

In de zomer van 1841 werd het lichaam van een jonge vrouw uit de rivier de Hudson gehaald. De moord op Mary Rogers zorgde voor sensatie in de kranten van New York City en dagelijks werd elke aanwijzing en theorie afgedrukt. Poe had de krantenartikelen kennelijk goed gelezen. Zijn verhaal, *The Mystery of Marie Roget*, waarin zijn gefingeerde detective Auguste Dupin weer optrad, gaf de feiten van de moord op Mary Rogers en – via Dupin – Poe's eigen oplossing van de misdaad.

Tijdens het begin van de jaren veertig van de negentiende eeuw bleef Poe schrijven, ook al was hij nauwelijks in staat met de opbrengst daarvan zichzelf, zijn jonge vrouw en Maria Clemm te onderhouden. Hij werd een opmerkelijk lid van de literaire gemeenschap, maar zijn roem leverde hem niet meteen een fortuin op.

Na een lange strijd tegen de tuberculose overleed zijn kindvrouwje Virginia begin 1847. Poe verviel in een ernstige depressie toen hij nogmaals een geliefde jonge vrouw verloor. Spiritualiste en schrijfster Mary Grove bezocht het huis van Poe tijdens Virginia's laatste dagen en schreef:

Virginia lag op een stromatras. Ze was gewikkeld in de overjas van haar man en op haar borst lag een grote lapjeskat. De prachtige kat leek te beseffen hoe nuttig ze was. De zieke kreeg slechts warmte van de jas en de kat.

Het thema van de dood van Virginia, Frances Allan en zijn moeder zou steeds weer opduiken in de geschriften van Poe. Hij schreef ooit dat '...*de dood van een mooie vrouw, onbetwistbaar, het meest poëtische onderwerp ter wereld is*'.

Ondanks tegenslagen in zijn gevoelsleven en carrière bleef Poe zijn droom van een eigen tijdschrift najagen. Cynici hebben gewezen op een plotselinge hofmakerij eind 1848 van een rijke weduwe als een harteloze poging om niet de vrouw voor zich te winnen, maar de fondsen voor zijn tijdschrift te verwerven. De verloving werd verbroken (sommigen beweren na een heftige confrontatie tussen een erg dronken Poe en zijn doodsbange, aan-staande vrouw). Poe ging zijn laatste jaar in dat gekruid zou zijn met vreugdevolle momenten alsook diepe mysteries.

De man verdwijnt

In de zomer van 1849 probeerde Poe weer geld bijeen te krijgen voor het uitgeven van een literair tijdschrift. Deze keer gaf hij een aantal lezingen waarin hij aandacht besteedde aan zijn poëzie en fictie, maar ook aan zijn kritieken en analyses van andere werken.

Zijn spreekbeurten brachten hem halverwege juli terug in Richmond. Terwijl hij in de stad was blies hij een romance met een jeugdvriendinnetje, Elmira Shelton, nieuw leven in. Een aanzoek werd aanvaard en ze begonnen plannen te maken voor een huwelijk in oktober.

Eind augustus, mogelijk op verzoek van Elmira, sloot Poe zich aan bij de Sons of Temperance (geheelonthouders) en zwoer alle alcohol af. De volgende maand schreef hij opgewekt aan Maria Clemm (die hij nog steeds onderhield): *'Ik denk dat Elmira trouwhartiger van me houdt dan wie ik ook heb gekend en ik kan er niets aan doen dat ik ook van haar houd. Ik zal misschien trouwen voordat ik begin aan mijn volgende reis maar dat is niet zeker. De kranten hier prijzen mijn lezingen de hemel in en overal ben ik enthousiast ontvangen.'*

Toen de herfst van 1849 begon, was Poe in topvorm: hij was nuchter, kreeg lof voor zijn lezingen en hij zou gaan trouwen met zijn jeugdliefde. Poe verliet Richmond op 29 september 1849 waarschijnlijk met het gevoel dat enkele van zijn donkere wolken waren overgetrokken en dat hij weldra de vruchten van zijn harde werken zou plukken. Vrienden die hem die dag naar de boot brachten verklaarden dat hij in een goed humeur was en beloofde heel gauw naar Richmond terug te keren.

Poe's geluk van dat moment maakt de gebeurtenissen van de volgende dagen des te opmerkelijker en onverklaarbaarder. Volgens zijn reisplan moest hij op 27 september uit Richmond vertrekken en de volgende dag in Baltimore aankomen om op de trein te stappen. Het is zeker dat hij de boot naar Baltimore nam en daar op de achtentwintigste september aankwam. Vandaar zou hij doorreizen naar Philadelphia waar hij een zakelijke afspraak had, en dan naar New York voor een ontmoeting met Maria Clemm. Ze zouden samen terugreizen naar Richmond voor het komende huwelijk. Maar Poe verscheen nooit op zijn afspraak in Philadelphia. Maria Clemm zag hem nooit levend terug.

Nadat hij op 28 september in Baltimore van de boot was gestapt, is er geen duidelijkheid over zijn bewegingen of activiteiten tot Joseph Walker op 3 oktober bleef staan om een man aan te spreken die 'er nogal haveloos' uitzag en die 'onmiddellijk hulp behoefde...'.

Natuurlijke doodsoorzaken

Poe dronk zich dood. Iedereen die hem kende, wist dat hij een ernstig probleem met alcohol had. Hij was ooit in de cel beland voor openbare dronkenschap. Hoewel hij soms lange tijd geen druppel aanraakte, kon hij zich volgens de Baltimore Poe Society ook 'overgeven aan periodes van drinken, vooral tijdens de lange ziekte van Virginia.'

Auteur Charles Bonner vond de volgende aantekening in het dagboek van een tijdgenoot van Poe: '*Edgar A. Poe overleed hier in het ziekenhuis van de stad aan de gevolgen van een braspartij. – een metgezel verleidde hem hier naar de fles te grijpen – het gevolg was koorts, delirium en krankzinnigheid, en een paar dagen later een einde aan zijn trieste carrière in het ziekenhuis.*'

Dr. Moran, de arts die Poe op zijn sterfbed verzorgde, schreef een brief aan Maria Clemm waarin hij er kennelijk van uitging dat Maria wel zou weten dat Poe zich dood had gedronken: '*Ervan uitgaande dat u reeds bekend bent met de ziekte waaraan de heer Poe stierf, hoef ik alleen beknopt de omstandigheden uiteen te zetten van zijn opname tot zijn overlijden.*

Toen hij naar het ziekenhuis werd gebracht, was hij zich niet bewust van zijn toestand – wie hem had gebracht of met wie hij was omgegaan. Hij bleef in deze toestand van 5.00 uur in de middag – het tijdstip van zijn opname – tot 3.00 uur de volgende ochtend. Dit was op 3 oktober.

Op deze toestand volgden bevingen van de ledematen en aanvankelijk een onrustig, maar niet heftig of actief delirium – voortdurend praten – en onzinnige gesprekken met geesten en denkbeeldige voorwerpen op de muren. Zijn gezicht was bleek en zijn hele lichaam baadde in het zweet. We waren pas op de tweede dag na zijn opname in staat hem tot kalmte te brengen.

Omdat ik de verpleegsters daartoe opdracht had gegeven, werd ik naar zijn bed geroepen zodra het bewustzijn was teruggekeerd. Ik stelde hem vragen met betrekking tot zijn familie, verblijfplaats, verwanten, enz. Maar zijn antwoorden waren onsamenhangend en onbevredigend. Hij vertelde me echter dat hij een vrouw in Richmond had [zeer waarschijnlijk een verwijzing naar Elmira Shelton en niet naar Virginia Poe], wat volgens mijn bevindingen niet het geval was, dat hij niet wist wanneer hij die stad had verlaten of wat er met zijn koffer of kleding was gebeurd.'

Dr. Moran schreef Maria Clemm niet dat Poe op zijn sterfbed raadselachtig om 'Reynolds' had geroepen. Niemand heeft ooit vastgesteld wie 'Reynolds' was.

Ten aanzien van de koffer die in de brief van dr. Moran werd genoemd, meldt John Evangelist Walsh in zijn boek *Midnight Dreary – The Mysterious Death of Edgar Allan Poe* dat de koffer later werd teruggevonden in een plaatselijk hotel. Maar die onthulde niets over de activiteiten van Poe tijdens zijn laatste dagen. Het feit dat Poe de koffer blijkbaar naar een hotel in Baltimore had gebracht, maakt het mysterie alleen maar groter, want Baltimore was louter de plaats waar Poe op een trein zou stappen. Dus waarom en wanneer liet hij zijn bagage achter bij een plaatselijk hotel?

De verwijzing van dr. Moran naar Poe's kleding zorgt voor een volgende puzzel. De kleding die hij droeg toen hij door Joseph Walker werd gevonden, werd later door dr. Snodgrass beschreven als: *'Zijn hoed – of liever de hoed van iemand anders, want hij was duidelijk van zijn kleding beroofd of tot een ruil gedwongen – was een goedkoop en vuil exemplaar van een palmblad zonder band.*

Zijn jas van heel gewone alpacawol was duidelijk tweedehands en zijn broek van grijze gemengde kasjmier was sjofel en paste slecht. Zijn hemd was erg gekreukt en vuil.'

Dit waren niet de kleren die Poe in Richmond had gedragen. De meeste mensen vermoeden dat Poe tijdens een laatst drinkgelag zijn eigen kleren had verkocht voor meer drank, zijn eigen kleren om een of andere reden met iemand anders had geruild of, de theorie van dr. Snodgrass, 'van zijn kleren was beroofd'.

De Baltimore Poe Society noemt ook een verscheidenheid aan toespelingen die erop duiden dat Poe mogelijk is overleden aan complicaties van een ziekte. Tijdens de zomer van 1849 had Poe aan Maria Clemm geschreven dat hij: 'Heel ziek was – heb de cholera gehad of bijna even erge krampen en kan nu nauwelijks de pen vasthouden. Het is zinloos om nu met mij te redeneren – ik moet sterven. Omwille van u zou het fijn zijn te leven, maar we moeten samen sterven. In alles bent u voor mij geweest de lieve, steeds geliefde moeder en liefste, waarachtigste vriendin.'

Daarnaast verklaarde een verpleegster die Virginia Poe had verzorgd tijdens haar laatste ziekbed, dat Poe volgens haar een soort hersenziekte had. John Miller publiceerde in zijn boek Building Poe Biography een brief van die verpleegster met de tekst: 'Ik heb het litteken van de wond op de linkerschouder gezien – ik vroeg Poe of hij gewond was geweest – in de hartstreek en hij zei ja – en zijn hoofd was ook gekwetst.'

Later zouden geleerden en enthousiaste bewonderaars van Poe op deze ziektes wijzen (in 1996 beweerde een arts zelfs dat enkele symptomen van Poe bij zijn dood op hondsdolheid wezen) als de oorzaak van Poe's overlijden of de theorie verkondigen dat een verzwakte gezondheid door deze ziektes in combinatie met drankgebruik heel gemakkelijk de dood kon hebben veroorzaakt van iemand die zo broos was als Poe in de herfst van 1849.

De andere kleren die Poe aanhad, leidden echter snel tot de onheilspellende theorie dat Poe niet toevallig was overleden, maar vermoord.

Moord

De dag waarop Poe door Joseph Walker werd gevonden, was een verkiezingsdag en velen zijn sindsdien met de theorie gekomen dat een illegaal proces bekend als 'cooping (kooien)' de oorzaak van Poe's dood was. 'Cooping' was in wezen een methode om een verkiezing in de richting van een bepaalde kandidaat te sturen en werd halverwege de jaren zeventig van de negentiende eeuw als volgt door William Baird beschreven: *'Op dat moment en in de jaren ervoor en erna was 'cooping' van stemmers in verkiezingstijd in veel steden een verfoeilijke gewoonte. Daarbij gingen bendes de straat op om mannen op te pakken of zelfs met geweld mee te voeren die op straat werden aangetroffen. Die werden vervolgens naar kelders in verschillende achterbuurten gebracht, waar ze onder bewaking werden vastgehouden, bedreigd, mishandeld als ze probeerden te ontsnappen en vaak beroofd; altijd werden ze gedwongen whiskey te drinken, soms in combinatie met andere drugs tot ze verdoofd en hulpeloos waren.*

Bij de verkiezing werden deze zielige stakkers in karren of omnibussen onder bewaking naar de stemlokalen gebracht en gedwongen om te stemmen met het stembriefje dat ze vasthielden, meer keren in verschillende stemlokalen. Het was niet ongebruikelijk dat de slechte behandeling in de dood eindigde. De algemene overtuiging is hier dat Poe door een van die bendes werd opgepakt, 'gekooid' en verdoofd met drank, waarna hij naar buiten werd gesleept om steeds weer te stemmen en daarna vrijgelaten om te sterven.'

Sommige voorstanders van de 'cooping' theorie beweren dat de bendeleden de kleding van Poe kunnen hebben verwisseld, zodat hij niet zou worden herkend door de mensen die de verkiezingen hielden als hij meer dan eens naar een bepaald stemlokaal werd gebracht. Ook is het mogelijk dat de boeven Poe's mooie kleren afpakten om te verkopen. De dood kan een mogelijk neveneffect zijn geweest van 'cooping', maar het was niet de vooropgestelde bedoeling en degenen die betrokken waren bij zulke praktijken, kunnen zich schuldig hebben gemaakt aan een onbedoelde moord.

Schrijver John Walsh verwerpt de theorie van 'cooping' echter door artikelen uit een krant aan te halen waarin de verkiezingen van 3 oktober in Baltimore werden beschreven als *zeer harmonieus verlopen en we hoorden van geen ongeregeldheden in de stemlokalen of elders – het politieregister duidde op een saaie gebeurtenis'.*

Walsh gelooft daarentegen dat Poe werd vermoord en hij denkt te weten waarom en door wie. Zijn stelling is gebaseerd op documenten van Elizabeth Oakes Smith, een negentiende-eeuwse dichteres die Poe kende. Smith schreef: '*Niet lang voor zijn dood werd hij vreselijk geslagen, klap na klap, door een bruut die geen betere methode kende om vermeende beledigingen te wreken.*

Dat Edgar Poe zich kan hebben blootgesteld aan beschuldiging of dronkenschap zou misschien erkend kunnen worden, want een glas wijn zou zeer slecht reageren op zijn tere gestel; maar dat hij in enig opzicht een losbandig man was, klopt van geen kant. Hij was geen ziekelijke man als gevolg van dronkenschap op het moment van zijn dood en evenmin stierf hij aan delirium tremens, zoals is verklaard.

Het hele, trieste verhaal zal waarschijnlijk nooit bekend worden, maar hij had veel gecorrespondeerd met een vrouw wier naam ik niet noem en nadat ze vervolgens ruzie kregen, weigerde hij om haar brieven terug te geven en ze kreeg ze ook niet terug tot na Poe's dood. Dit achterhouden verontrustte de vrouw niet alleen, maar ergerde haar ook en ze stuurde een afgezant van haar om de overdracht af te dwingen en toen deze geen succes had, sloeg hij de ongelukkige man op een zeer brute manier.

Er trad een hersenkoorts op en enkele vrienden gingen met hem naar Baltimore, zijn geboortestad, die hij ternauwernood had bereikt toen hij stierf.

De hand zou moeten worden verlamd en de naam geruïneerd van de man die, om wat voor reden dan ook, een klap kon uitdelen aan een tenger, hulpeloos – ofschoon misleid – intellectueel wezen als Edgar Allan Poe.'

De uiteenzetting van Smith biedt een nieuw en veel duisterder perspectief, maar laat ook vragen onbeantwoord. Zij plaatst het geweld tegen Poe voordat hij van Richmond afreist naar Baltimore, maar degenen die Poe hebben ontmoet op de dag voordat hij Richmond verliet, verklaren allemaal niets anders dan dat hij in een goed humeur en in goede gezondheid was. Ook was er geen sprake van dat hij Baltimore ternauwernood had bereikt toen hij stierf. Hij kwam in die stad aan, verdween enkele dagen volledig en overleed meer dan een week later.

Dr. Snodgrass ontkende de verklaringen van mevrouw Smith in een artikel uit 1867: 'Ik ben er zeker van dat er absoluut geen bewijs was van enig geweld jegens zijn persoon, toen ik hem in de taveerne te hulp schoot. Evenmin bleek er iets van in het ziekenhuis waar het zeker ontdekt zou zijn als geweld van buiten de echte oorzaak was geweest van zijn krankzinnigheid, want dan zouden er sporen op de persoon van de patiënt zijn geweest. Wordt *de kwestie aldus beschouwd, dan meen ik met alle respect te mogen beweren dat het hoog tijd wordt om de hypothese van een afstraffing te laten varen.'*

Walsh grondvest zijn theorie voornamelijk op de verklaringen van Smith, maar voegt er andere informatie aan toe die hem tot de conclusie brengt dat Poe in Baltimore aankwam, op de trein naar Philadelphia stapte, maar daar de broers van Elmira Shelton ontmoette, die niet wilden dat hun zuster met een man trouwde die een slechte reputatie had op het gebied van drinken en tal van andere misdragingen. Ze bedreigden Poe die snel omdraaide en terug probeerde te keren naar Richmond en Elmira. De broers haalden hem in Baltimore echter in en sloegen Poe om hem ervan te weerhouden ooit met hun zuster te trouwen. Dit geweld leidde uiteindelijk tot Poe's dood.

Nalatenschap

Hoe overleed Edgar Allan Poe?
Wie was de geheimzinnige 'Reynolds'?
Waar en hoe bracht hij die vijf 'verloren' dagen door?

Tot op de dag van vandaag kent niemand de antwoorden op die vragen. Poe's roem groeide na zijn dood en slechts zeer weinig auteurs in het detective- en griezelgenre kunnen beweren dat ze niet door hem zijn beïnvloed. Zijn werken hebben de basis gevormd van talloze films en televisieprogramma's en het genootschap van de Mystery Writers of America noemde hun prijs ter ere van hem de *Edgar Awards*.

Het duurde echter een lange tijd voordat de toejui-
chingen begonnen. Enkele dagen na zijn dood werd hij
begraven in een graf zonder aanduiding op een kerkhof
in Baltimore – voordat velen van zijn vrienden en familieleden hadden gehoord dat hij dood was.

Jaren later bestelde zijn neef Neilson een grafsteen
voor Poe's graf en uit marmer werd een opmerkelijke
gedenksteen geschapen. Er werden plannen gemaakt om
de grafzerk over te brengen naar de begraafplaats van
Baltimore. Maar zelfs na zijn dood werd Poe achtervolgd
door ongeluk. De grafsteen ging kapot toen een trein ont-
spoorde en een aantal grafstenen vernielde, waaronder
die van Poe. Het zou tot 1875 duren voordat een gedenksteen op de stoffelijke resten van Poe werd geplaatst en
later werden de resten van zijn vrouw Virginia en Maria
Clemm bij hem begraven.

Poe's graf is ook de locatie van een ander mysterie. Op
de nacht van Poe's verjaardag in 1949, betrad een man
midden in de nacht de begraafplaats en liet drie rozen
en een halfvolle fles cognac op Poe's grafsteen achter om
daarna weer te verdwijnen.

Velen nemen aan dat de drie rozen ter ere van Edgar,
Virginia en Maria waren, maar de cognac was een mysterie en de Baltimore Poe Society heeft opgemerkt dat 'de
betekenis van cognac onduidelijk is, omdat de drank niet
voorkomt in Poe's werken, terwijl dat bij voorbeeld wel
het geval is met amontillado'.

Maar 1949 was slechts het begin, want elk jaar heeft
een man gehuld in een cape met capuchon zich op
19 januari om middernacht toegang verschaft tot de
begraafplaats en hetzelfde eerbetoon van rozen en
cognac achtergelaten op het graf van Poe. Enthousiaste

aanhangers van Poe zijn samengekomen om de geheimzinnige bezoeker gade te slaan, maar niemand heeft ooit geprobeerd de figuur aan te spreken of achter zijn identiteit te komen. Op 19 januari 1993 liet de man samen met de rozen en de drank een briefje achter met de tekst 'de fakkel zal worden doorgegeven' en er wordt aangenomen dat de eerste man voor zijn dood de traditie heeft overgedragen aan een ander, omdat de jaarlijkse bezoeken doorgaan.

Wetenschappers, historici, biografen en de medische gemeenschap komen steeds met nieuwe theorieën over wat er met Poe gebeurde van 28 september tot 3 oktober 1849, maar niemand heeft overtuigend bewezen of een van de belangrijkste Amerikaanse schrijvers overleed door zijn eigen onnozele gedrag, door een ziekte, door een bende politieke gangsters of door het optreden van een koelbloedige moordenaar. Het mysterie blijft bestaan. Poe zou het prachtig hebben gevonden.

TIRION

Dit boek is gepubliceerd door
Tirion Uitgevers BV
Postbus 309
3740 AH Baarn
www.tirionuitgevers.nl

ISBN 90 4390 879 7
EAN 978 90 4390 879 5
NUR 402 en 330

Vertaling: Piet Dal

© Russell Aiuto (*Napoleon Bonaparte*), Rachael Bell (*Marilyn Monroe*),
Douglas Mac Gowen (*Edgar Allan Poe*), Mark Gribben (*Martin Luther King*),
Fred McGunagle (*John Lennon*), David Krajicek (*Marvin Gaye, JFK*)

Omslagontwerp: Hans Britsemmer, Kudelstaart
Lay-out & zetwerk: Marc Provoost, Brugge

Voor het eerst gepubliceerd in België in 2005 door Borgerhoff & Lamberigts
Oorspronkelijke titel: De waargebeurde verhalen van 's werelds beruchtste moorden op
bekende mensen

© 2005 Borgerhoff & Lamberigts
© 2006 voor Nederland: Tirion Uitgevers BV, Baarn

Dit boek werd gepubliceerd met de toestemming van Courtroom Television Network
LLC, New York

Alle artikelen komen voort uit intensief bronnenonderzoek waaronder o.a. boeken,
magazines, krantenartikelen en interviews.